PATRICK SOBRAL

20. LE ROYAUME DES LARMES

Merci à tous les Légenfans qui continuent à me faire confiance pour clôturer cette série en beauté. Merci aux éditions Delcourt qui n'ont eu de cesse de croire en cette série et de la soutenir depuis tant d'années maintenant. Et merci aux forces de l'univers de me permettre de vivre une rêve éveillé... Brûle, mon cosmos !

Patrick Sobral

Dans la même série :
Tome 1 : *La Pierre de Jovénia*
Tome 2 : *Le Gardien*
Tome 3 : *Frères ennemis*
Tome 4 : *Le Réveil du Kréa-Kaos*
Tome 5 : *Cœur du passé*
Tome 6 : *Main du futur*
Tome 7 : *Aube et crépuscule*
Tome 8 : *Griffes et plumes*
Tome 9 : *Le Cycle d'Anathos : L'Alystory*
Tome 10 : *Le Cycle d'Anathos : La Marque du destin*
Tome 11 : *Le Cycle d'Anathos : Versus Inferno*
Tome 12 : *Le Cycle d'Anathos : Renaissance*
Tome 13 : *Sang Royal*
Tome 14 : *L'Héritage du mal*
Tome 15 : *Amour mortel*
Tome 16 : *L'Éternité ne dure qu'un temps*
Tome 17 : *L'Exode de Kalandre*
Tome 18 : *La Fin de l'histoire ?*
Tome 19 : *World Without : Artémus le Légendaire*
Tome 20 : *World Without : Le Royaume des larmes*

De Patrick Sobral, chez le même éditeur :
- *La Belle et la Bête*
- *Les Légendaires - Origines* (quatre volumes) - dessin de Nadou
- *Les Légendaires - Parodia* (deux volumes) - dessin de Jung

Pour être au courant de toute l'actualité des Légendaires, c'est simple :

Rejoins le Club des Légendaires et retrouve les autres Légenfans sur
www.leslegendaires-lesite.com

Tu veux avoir des infos en avant-première ?
Inscris-toi à la newsletter des Légendaires en scannant ce QR code

Tu peux aussi retrouver les Légenfans sur Facebook

Fb.com/legendairesbd

Éditeur : Thierry Joor

Dépôt légal : octobre 2017. ISBN : 978-2-7560-6476-5
Première édition

Loi n° 49-956 du 16 juillet 1949
sur les publications destinées à la jeunesse

Conception graphique : Trait pour Trait

Achevé d'imprimer en septembre 2017 sur les presses de l'imprimerie Pollina à Luçon, France - 26004.

www.editions-delcourt.fr

TOUT DOUX, MON GARS !!
RENGAINE TON ÉPÉE AVANT DE BLESSER QUELQU'UN PAR ACCIDENT.
PAS DE SOUCI, MAIS SEULEMENT UNE FOIS QUE VOUS NOUS AUREZ DIT QUI VOUS ÊTES...
... ET CE QUE VOUS NOUS VOULEZ !!
SUIVEZ-NOUS SANS FAIRE D'HISTOIRES ET ON RÉPONDRA À TOUTES VOS...
ARRÊTE DE TERGIVERSER, GRYF ! LA BOUSSOLE EST FORMELLE...
... C'EST BIEN CETTE FILLE QUE NOUS RECHER-CHONS, IL N'Y A AUCUN DOUTE POSSIBLE !!
ET NOUS ALLONS LA RAMENER À ASTRIA, DE GRÉ OU DE FORCE !!

LA FORCE ...
... ÇA ME CONVIENT TOUT À FAIT !!

ATTENTION, SHIMY ! LA CHUTE VA ÊTRE RUUUDE !!
BON SANG, MAIS C'EST QUOI, CE BAZAR ?
BOM
BOM
ARTÉMUS ?! MAIS QUE...
TAISEZ-VOUS ET CRAMPONNEZ-VOUS ! IL FAUT DÉGUERPIR D'ICI !!
ILS... ILS S'ENFUIENT !!
WAOUH, T'ES DRÔLEMENT PERSPICACE, DIS DONC !

PAS QUESTION QU'ILS S'EN TIRENT COMME ÇA !!
ATTAQUE ÉLÉMENTAIRE !!
NON MAIS ÇA VA PAS BIEN, OH ?! TU PEUX ME DIRE UN PEU C'QUI T'A PRIS ?

LE TYPE QUI A PORTÉ SECOURS À NOTRE CIBLE...
... C'ÉTAIT DEL CONQUISADOR !

DEL... ARTÉMUS LE LÉGENDAIRE ? TU PARLES BIEN DU SAUVEUR DES MONDES ? MAIS QUE FAIT L'HUMAINE AUX POUVOIRS ÉLÉMENTAIRES AVEC LUI ?
JE NE SAIS PAS. MAIS SI CES DEUX-LÀ SONT ALLIÉS, ÇA VA RUDEMENT COMPLIQUER NOTRE MISSION. SUIVONS-LES DISCRÈTEMENT ET NOUS DÉCIDERONS DE LA MARCHE À SUIVRE.

DÉCIDÉMENT, CETTE MISSION DEVIENT DE PLUS EN PLUS PALPITANTE !!

CES DEUX LASCARS ÉTAIENT DES ELFES ÉLÉMENTAIRES, PAS DU MENU FRETIN COMME LES FABULEUX !! JE N'EN REVIENS PAS QU'ON LEUR AIT ÉCHAPPÉ SI FACILEMENT.
DES ELFES ÉLÉMENTAIRES ? MAIS QUE FONT-ILS SUR ALYSIA ?
ET PAR TOUS LES DIEUX, QUE NOUS VOULAIENT-ILS ??
CHUT !

JE CRAINS HÉLAS QU'ILS EN AIENT ÉGALEMENT APRÈS L'ÉPÉE D'ANATHOS !!
ILS ONT DÛ APPRENDRE QU'ON ME L'A DÉROBÉE ET J'IMAGINE DU COUP QU'ILS VEULENT METTRE LA MAIN DESSUS AVANT NOUS.

DÉSOLÉ AMY, MAIS NOUS DEVONS NOUS METTRE À L'ABRI LE TEMPS D'ÉVALUER LA SITUATION. ET JE NE VOIS QU'UN ENDROIT À PROXIMITÉ POUR ÇA...

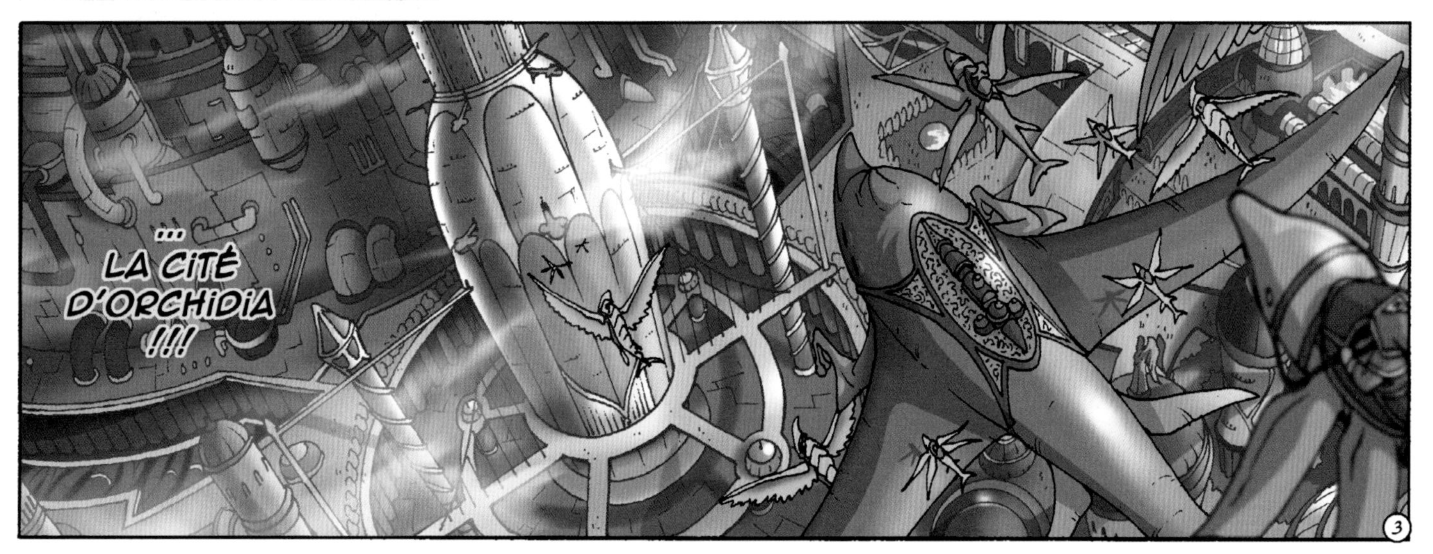

... LA CITÉ D'ORCHIDIA !!!
3

SOYEZ LES BIENVENUS !!
PRÊTRESSE TÉNÉBRIS, ORCHIDIA EST HONORÉE DE VOTRE PRÉSENCE DANS SA CAPITALE !
MERCI POUR VOTRE INVITATION, REINE INVIDIA !

J'AI APPRIS LA MALHEUREUSE ALTERCATION QUE VOUS AVEZ SUBIE AVEC CES PIRATES ... COMMENT ALLEZ-VOUS ?
OH, CE N'ÉTAIT RIEN DU TOUT. C'ÉTAIT MÊME DISTRAYANT !
JE N'IRAIS PAS JUSQU'À DIRE ÇA.

VOTRE SAINTE PERSONNE SE SERAIT-ELLE FAIT QUELQUES ENNEMIS ?

BAH ! VOUS SAVEZ, TOUT LE MONDE NE COMPREND PAS LES MOTIVATIONS DE L'ÉGLISE DE L'INFINITÉ. NOUS PENSONS QUE SEULS LES DIEUX SAURONT ANNULER L'EFFET JOVÉNIA PROVOQUÉ PAR LE SORCIER DARKHELL. ALORS NOUS PRIONS AVEC FERVEUR LEUR RETOUR, TOUT SIMPLEMENT.
D'AILLEURS, J'ESPÈRE QUE NOUS AURONS LA POSSIBILITÉ D'OUVRIR UN LIEU DE CULTE DANS VOTRE CITÉ.
HEU... OUI, PEUT-ÊTRE. NOUS AURONS TOUT LE LOISIR D'EN DISCUTER APRÈS LA CÉRÉMONIE DU BÂTON-AIGLE DE MA NIÈCE.

À CE SUJET, JE M'ATTENDAIS À FAIRE SA CONNAISSANCE À NOTRE ARRIVÉE. OÙ EST LA PRINCESSE SHUN-DAY ?

SALUT ! VOUS FAITES UN JOB SUPER
C'EST AUSSI CE QUE J'AIMERAIS SAVOIR.

PROFESSEUR VANGELIS ... AVEZ-VOUS UNE IDÉE DE CE QUI RETIENT MA CHÈRE NIÈCE ?
LA PRINCESSE NE SE SENTAIT PAS BIEN. AUSSI LUI AI-JE PRÉCONISÉ DE SE REPOSER DANS SES APPARTEMENTS. IL EST IMPORTANT QU'ELLE SOIT EN PLEINE FORME POUR LA CÉRÉMONIE DU BÂTON-AIGLE DE JADILYNA QUI L'ATTEND DEMAIN.

BIEN LE BONJOUR, PRINCESSE SHUN-DAY !!
QUE... QUE FAITES-VOUS DANS MA CHAMBRE ?
JE SUIS CAPABLE DE M'INTRODUIRE OÙ JE VEUX, QUAND JE VEUX !
C'EST BIEN LA RAISON POUR LAQUELLE VOUS M'AVEZ ENGAGÉ...
... POUR VOLER LE COFFRE DU LÉGENDAIRE **ARTÉMUS DEL CONQUISADOR**, N'EST-CE PAS ?

JE N'EN REVIENS PAS ! VOUS AVEZ RÉUSSI ? FABULEUX, SAMAËL, VOUS ÊTES GÉNIAL !
QUAND ON FAIT APPEL À UN PRO, ON A DU BOULOT DE PRO.
NiAF ! NiAF !
MAIS JE ME DEMANDE BIEN CE QUE QUELQU'UN DE VOTRE RANG SOUHAITE FAIRE ...

... DE L'ÉPÉE D'ANATHOS ?!!
SHACK

LE JOURNAL D'ARTÉMUS !!! iL EST ENFIN À MOOOOi !

QUOi ?
DITES-MOI QUE C'EST PAS VRAI !! C'EST POUR ÇA QUE MON GANG ET MOI AVONS RISQUÉ NOTRE PEAU ? UN VIEUX BOUQUIN TOUT DÉCRÉPIT ?
(VOUS AVEZ FAILLI ME TUER AU PASSAGE !)

IGNORANT ! APPRENEZ QUE C'EST DANS CE JOURNAL QUE LE LÉGENDAIRE A RELATÉ TOUTES SES AVENTURES, CELLES-LÀ MÊMES QUI L'ONT INSPIRÉ POUR ÉCRIRE LA SAGA DES LÉGENDAIRES !
FROT FROT
GARDEZ L'ÉPÉE D'ANATHOS EN CADEAU BONUS, CE QUE JE TIENS A BIEN PLUS DE VALEUR QUE CETTE BABIOLE !!
TROP BIZARRE, C'TE NANA !

TOC TOC
PRINCESSE ? C'EST ANEHTA. PUIS-JE VOUS VOIR ?
VOUS AVEZ DE LA VISITE, ON DIRAIT.

FILEZ D'ICI, VITE ! SI JAMAIS ON ME VOYAIT EN VOTRE COMPAGNIE, JE...
J'AI COMPRIS LE MESSAGE.
RAVI D'AVOIR FAIT AFFAIRE AVEC VOUS, PRINCESSE ! TCHAO !
5

ANEHTA, QU'Y A-T-IL DE SI URGENT ? J'AVAIS DEMANDÉ QU'ON NE ME...
DÉSOLÉE, MADEMOISELLE. MAIS IL FALLAIT ABSOLUMENT QUE JE VOUS PRÉVIENNE !!

ME PRÉVENIR ? MAIS DE QUOI ?
OH, MADEMOISELLE ... IL EST LÀ ! IL EST À ORCHIDIA !!

MAIS QUI ÇA ?

C'EST INADMISSIBLE !!!

IL N'Y A PAS UN SEUL DE MES LIVRES ICI ! C'EST CLAIREMENT UNE FAUTE DE GOÛT !

"50 NUANCES DE GRAS" ? UN LIVRE DE CUISINE ?

DANAËL, POURQUOI REFUSES-TU QUE JE PARLE À ARTÉMUS ET AMY DE CE DONT J'AI ÉTÉ CAPABLE, DE... DE MON POUVOIR ?
À MOI AUSSI, IL M'EST ARRIVÉ QUELQUE CHOSE D'ÉTRANGE DANS LA FORÊT. GARDONS POUR NOUS CES DERNIERS ÉVÉNEMENTS LE TEMPS D'Y VOIR PLUS CLAIR, SHIMY.

DE QUOI EST-CE QUE VOUS PARLEZ, TOUS LES D...
OÙ EST-IL ???

BLAM

HAAAAAAAAAAAA !!!

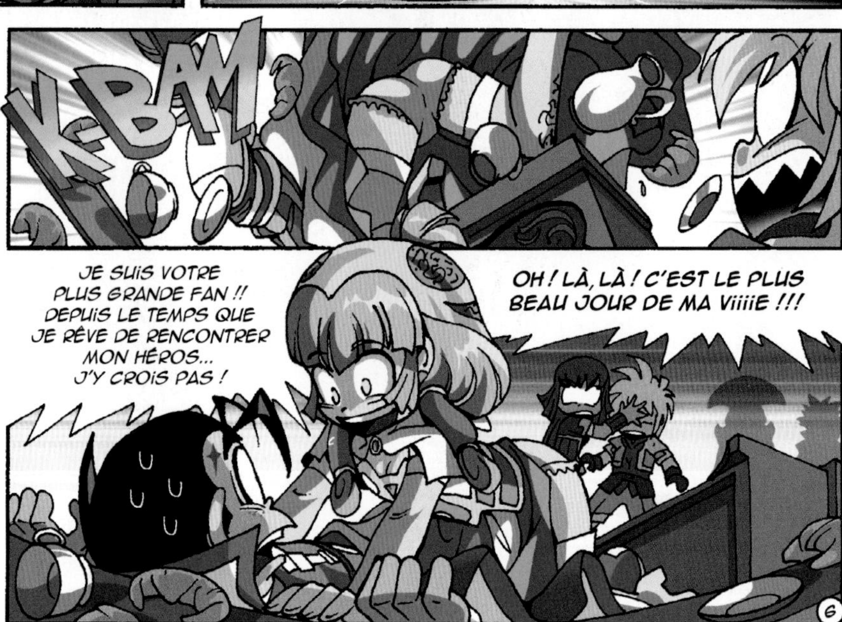
K-BAM
JE SUIS VOTRE PLUS GRANDE FAN !! DEPUIS LE TEMPS QUE JE RÊVE DE RENCONTRER MON HÉROS... J'Y CROIS PAS !
OH ! LÀ, LÀ ! C'EST LE PLUS BEAU JOUR DE MA VIIIIE !!!
6

JE SUIS RAVIE DE VOIR QUE TU VAS MIEUX, MA NIÈCE...
... MÊME SI JE DÉPLORE UNE ATTITUDE QUI NE SIED GUÈRE AVEC CELLE QU'ON EST EN DROIT D'ATTENDRE...
... D'UNE PRINCESSE DE SANG ROYAL !!!

TA TANTE A RAISON, SHUN-DAY !
CE NE SONT PAS DES MANIÈRES !!
MAIS... MA TANTE.
MÊME VOUS, PROFESSEUR ? C'EST TROP INJUSTE !

VOTRE MAJESTÉ, TOUT CECI EST MA FAUTE ! J'AI HÉLAS LE CHIC POUR DÉCLENCHER CE GENRE DE RÉACTION EXCESSIVE AUPRÈS DE LA GENT FÉMININE. VOTRE CHARMANTE NIÈCE N'EST QU'UNE VICTIME DE PLUS DE MON CHARISME.
AH ? HEU... TRÈS BIEN !

LÉGENDAIRE DEL CONQUISADOR, ON M'A INFORMÉE QUE VOUS DEMANDEZ L'ASILE À LA CAPITALE D'ORCHIDIA, EST-CE VRAI ?
HUM ! OUI, TOUT À FAIT !
CE PAYS N'A PAS OUBLIÉ CE QU'IL VOUS DOIT ! VOUS ÊTES LE BIENVENU AUSSI LONGTEMPS QUE VOUS LE SOUHAITEREZ. VOUS ME FERIEZ D'AILLEURS UN GRAND HONNEUR SI VOUS POUVIEZ ASSISTER À LA CÉRÉMONIE DU BÂTON-AIGLE DE MA NIÈCE DEMAIN.
OH OUI !
AH ?

L'INVITATION VAUT BIEN ÉVIDEMMENT POUR VOS COMPAGNONS DE ROUTE ... QUI SERONT SANS DOUTE PLUS PRÉSENTABLES APRÈS UN BON BAIN ET AVEC DES TENUES PLUS... APPROPRIÉES !

SNIF ! SNIF !
GRAT ! GRAT !

VENEZ AVEC MOI, ARTÉMUS ! JE VAIS VOUS CONDUIRE JUSQU'À VOS APPARTEMENTS ; AINSI, NOUS AURONS TOUT LE TEMPS DE DISCUTER DE VOS AVENTURES SUR LE CHEMIN.
HI ! HI !
COMME VOUS ME CONNAISSEZ BIEN, PRINCESSE ! C'EST MON SUJET DE DISCUSSION FAVORI !
HA ! HA !

MA REINE, JE N'AIME PAS SAVOIR LA PRINCESSE SI DISTRAITE À LA VEILLE DE SON ACCESSION AU TRÔNE !

SON ACCESSION AU TRÔNE ? COMME VOUS Y ALLEZ, PROFESSEUR VANGELIS ! ENCORE FAUT-IL QUE SHUN-DAY RÉUSSISSE L'ÉPREUVE DE JADILYNA, CE QUI EST LOIN D'ÊTRE ACQUIS.

DITES-MOI, ARTÉMUS. OÙ EST DONC VOTRE DISCIPLE AMY ? JE NE SAIS PAS SI VOUS ÊTES AU COURANT, MAIS IL SE TROUVE QU'ELLE EST MA COUSINE DU CÔTÉ DE MON PÈRE ET J'AURAIS TANT AIMÉ LA REVOIR !
AH, HEU... ELLE AVAIT QUELQUE CHOSE À FAIRE ET ELLE A DÛ S'ABSENTER UN MOMENT !!

7

LORSQUE J'AI APPRIS QUE LE LÉGENDAIRE ARTÉMUS ÉTAIT À ORCHIDIA, JE SUIS TOUT DE SUITE VENU DANS CE PARC.

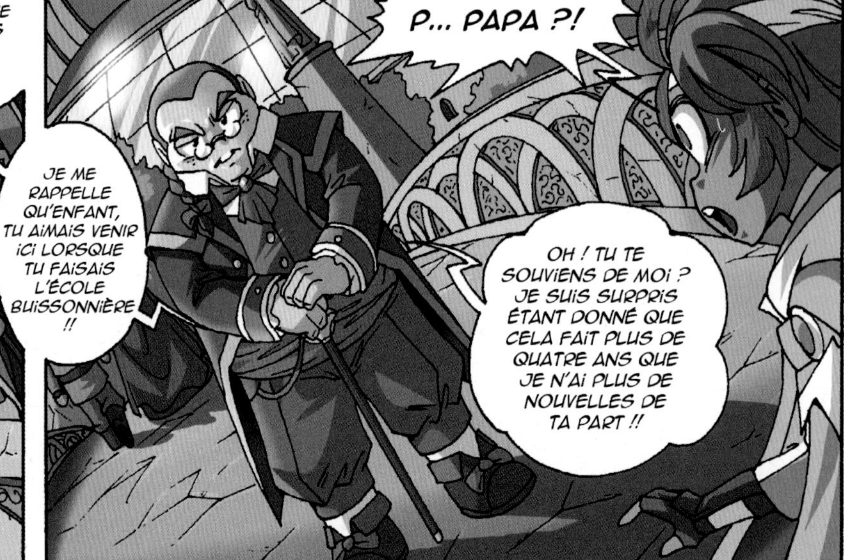
P... PAPA ?!
JE ME RAPPELLE QU'ENFANT, TU AIMAIS VENIR ICI LORSQUE TU FAISAIS L'ÉCOLE BUISSONNIÈRE !!
OH ! TU TE SOUVIENS DE MOI ? JE SUIS SURPRIS ÉTANT DONNÉ QUE CELA FAIT PLUS DE QUATRE ANS QUE JE N'AI PLUS DE NOUVELLES DE TA PART !!

MAINTENANT QUE TU ES DE RETOUR, IL FAUT ARRÊTER TES ENFANTILLAGES ET PENSER À MÛRIR, MA FILLE. TU VAS RENTRER À LA MAISON !!

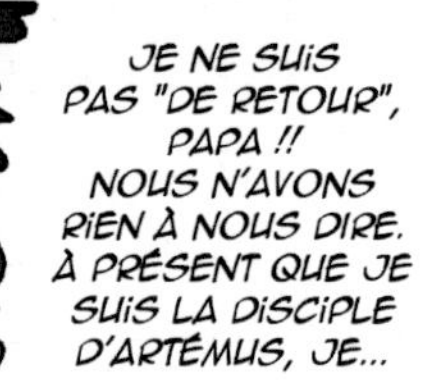
JE NE SUIS PAS "DE RETOUR", PAPA !! NOUS N'AVONS RIEN À NOUS DIRE. À PRÉSENT QUE JE SUIS LA DISCIPLE D'ARTÉMUS, JE...

TU ES MON ENFANT AVANT TOUT, AMY !!
ET NE VIENS PAS ME PARLER DE DEL CONQUISADOR ; CET HOMME N'EST PAS CELUI QUE TU CROIS !

HEIN ?
MAIS DE QUOI TU PARLES ?

TU CROIS QUE C'EST LE HASARD QUI A MIS LE LÉGENDAIRE SUR TA ROUTE ET QUE TU ÉTAIS DESTINÉE À DEVENIR SON APPRENTIE ? TU N'ES QU'UNE RÊVEUSE IDÉALISTE !
APRÈS TA FUGUE, J'AI ENGAGÉ LES SERVICES D'ARTÉMUS POUR TE RETROUVER. TU COMPRENDS CE QUE JE DIS ? J'AI PAYÉ CET HOMME !!
MAIS AU LIEU DE TE RAMENER DANS TON FOYER COMME CONVENU, CE SCÉLÉRAT A FAIT DE TOI SA PARTENAIRE ET S'EST SERVI DE TOI EN ABUSANT DE TA CONFIANCE, COMME DE LA MIENNE ! C'EST UN PROFITEUR DE LA PIRE ESPÈCE QUI N'EN A JAMAIS RIEN EU À FAIRE DE PERSONNE ET ENCORE MOINS DE TOI !
8

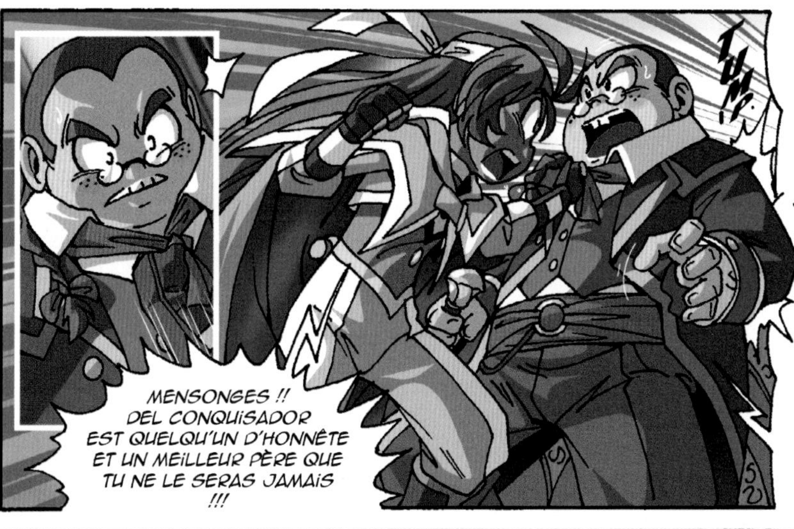
VOILÀ DONC CE QUE TU ES DEVENUE SOUS SON INFLUENCE ?? UNE SAUVAGEONNE QUI NE SAIT RÉSOUDRE SES PROBLÈMES QUE PAR SES POINGS !! JE REMERCIE LES DIEUX QUE TA MÈRE NE SOIT PLUS LÀ POUR VOIR ÇA !
MENSONGES !! DEL CONQUISADOR EST QUELQU'UN D'HONNÊTE ET UN MEILLEUR PÈRE QUE TU NE LE SERAS JAMAIS !!!

ESPÈCE DE SALE ...

SI TU NE ME CROIS PAS, DEMANDE LA VÉRITÉ À TON "PÈRE" DE SUBSTITUTION !

LA BOUSSOLE EST FORMELLE, L'HUMAINE AUX POUVOIRS ÉLÉMENTAIRES SE TROUVE AU PALAIS.
SUPER !
ON EST DANS LE CACA DE GIRAWA JUSQU'AU COU !

CETTE MISSION DEVIENT DE PLUS EN PLUS IMPOSSIBLE.
TU VEUX ABANDONNER, SOLARIS ?

TU PLAISANTES ? UN ELFE ÉLÉMENTAIRE N'ABANDONNE JAMAIS !!!
HÉ ! HÉ ! ON EST BIEN D'ACCORD !!!
9

HAAAGH !!
GRYF !! QU'EST-CE QUI T'ARRIVE ?
HAA... HAA... HAA...
JE... JE NE SAIS PAS. C'EST COMME UNE... DÉCHARGE D'ADRÉNALINE. JE RESSENS UNE... PULSION MEURTRIÈRE !!
GRYF !
ÇA VA, MONSIEUR ?
MAIS... ÇA... ÇA PASSE. WAOUH, MAIS QU'EST-CE QUE C'ÉTAIT ?

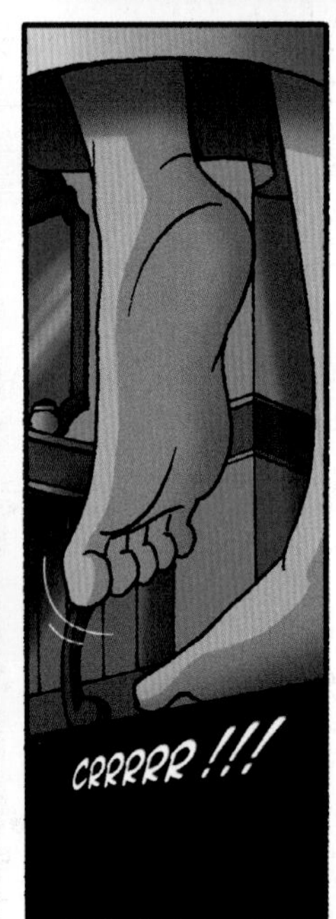
CRRRRR !!!

NE PAS FAIRE DE BRUIT !
NE PAS FAIRE DE BRUIT !
VOUS ALLEZ QUELQUE PART, PRÊTRESSE TÉNÉBRIS ?

BY... BYSKAROS ?! JE... J'ÉTAIS EN TRAIN DE FAIRE UNE CRISE DE SOMNAMBULISME ?! HEUREUSEMENT QUE TU ÉTAIS LÀ POUR ME RÉVEILLER !
MAIS BIEN SÛR ! VOUS ÊTES AUSSI DOUÉE POUR MENTIR QUE MOI POUR SOURIRE !
VEUILLEZ RETOURNER VOUS COUCHER !

ESSAYE DE ME COMPRENDRE ! POUR UNE FOIS QUE JE SORS DU TEMPLE DE L'INFINITÉ, JE VOUDRAIS PROFITER DE CE MONDE EXTÉRIEUR INCONNU.
ORCHIDIA RESSEMBLE SI PEU À CE QUE J'AI L'HABITUDE DE VOIR. LAISSE-MOI SORTIR QUELQUES HEURES POUR DÉCOUVRIR CETTE BELLE CITÉ !
S'TE PLAÎÎÎT !
NE VOUS LAISSEZ PAS CHARMER PAR CE VERNIS CLINQUANT QU'EST LE PALAIS ROYAL D'ORCHIDIA. LORSQUE LA NUIT TOMBE, CE QUI SE PASSE DANS LES BAS-FONDS DE LA VILLE N'EST PAS FAIT POUR UNE ÂME PURE COMME LA VÔTRE.
CE N'EST PAS POUR RIEN QU'ON SURNOMME ORCHIDIA ...
... LE ROYAUME DES LARMES !!!
10

DEPUIS QUE LE ROI KINDER ET LA REINE ADEYRID ONT "SOI-DISANT" SUCCOMBÉ À LA MALADIE DE LERDAMER, C'EST INVIDIA, LA SŒUR DE LA DÉFUNTE REINE, QUI EST À LA TÊTE DU ROYAUME. ELLE N'EST GUÈRE AIMÉE DE SES SUJETS DONT LES CLASSES LES PLUS PAUVRES ONT VU LEURS VIES EMPIRER DEPUIS SON ACCESSION AU TRÔNE.
LA CRIMINALITÉ ÉGALEMENT N'A CESSÉ DE CROÎTRE. LE PEUPLE N'OSE PLUS SORTIR LA NUIT TOMBÉE ET N'ATTEND QU'UNE CHOSE, QUE LA PRINCESSE SHUN-DAY, VÉRITABLE HÉRITIÈRE D'ORCHIDIA, OBTIENNE LE BÂTON-AIGLE DE JADILYNA QUI FERAIT D'ELLE LA NOUVELLE REINE.

CE MONDE EST LOIN D'ÊTRE AUSSI BON QUE VOUS, PRÊTRESSE TÉNÉBRIS. MAIS LES DIEUX VOUS ONT CHOISIE POUR Y REMÉDIER. VOUS ÊTES LE BAUME QUI PANSERA LES BLESSURES D'ALYSIA, VOUS ÊTES L'ÉLUE ! VOTRE VIE EST TROP PRÉCIEUSE POUR LA RISQUER EN FUTILITÉS !
JE... JE COMPRENDS TES PAROLES ET JE M'Y PLIERAI, BYSKAROS. TU AS RAISON, MA MISSION DOIT PASSER AVANT TOUT, MÊME AVANT MES DÉSIRS. SEULE COMPTE LA VOLONTÉ DIVINE.

BONNE NUIT, BYSKAROS !!

ALORS, SHIMY ? ÇA VIENT ?
QU'EST-CE QUE TU VEUX ME MONTRER ?? JE SUIS FATIGUÉ ET J'AIMERAIS BIEN ALLER ME...
... COUCHER.
EH BIEN ? ÇA NE VALAIT PAS LE COUP D'ATTENDRE ?

VOICI LA ROBE QUE LE PALAIS ME PRÊTE POUR ASSISTER À LA CÉRÉMONIE DE DEMAIN !
FINALEMENT, IL Y A QUELQUES BONS CÔTÉS À CETTE MÉSAVENTURE DANS LAQUELLE NOUS NOUS SOMMES EMBARQUÉS !!
ELLE... ELLE TE VA TRÈS BIEN !!!

PRINCESSE SHIMY, J'AI BRAVÉ MILLE ET MILLE DANGERS POUR ÊTRE AUPRÈS DE VOUS CE SOIR. ME FEREZ-VOUS L'HONNEUR DE M'ACCORDER CETTE DANSE EN RÉCOMPENSE ?
HI ! HI ! TU N'AS PAS GRAND-CHOSE D'UN PRINCE OU D'UN CHEVALIER, HABILLÉ COMME ÇA, DANAËL !

LAISSE PARLER TON IMAGINATION.
J'AI BEAUCOUP D'IMAGI-NATION !

11

NON, MAMAN
...
C'EST PAS MOI QUI AI CASSÉ LE VASE DE GRAND-MÈRE.
ZZZZZZ
ZZZZ
GULPS
GULPS
HUM... ?
HEU... C'EST LE SERVICE DE CHAMBRE ?
12

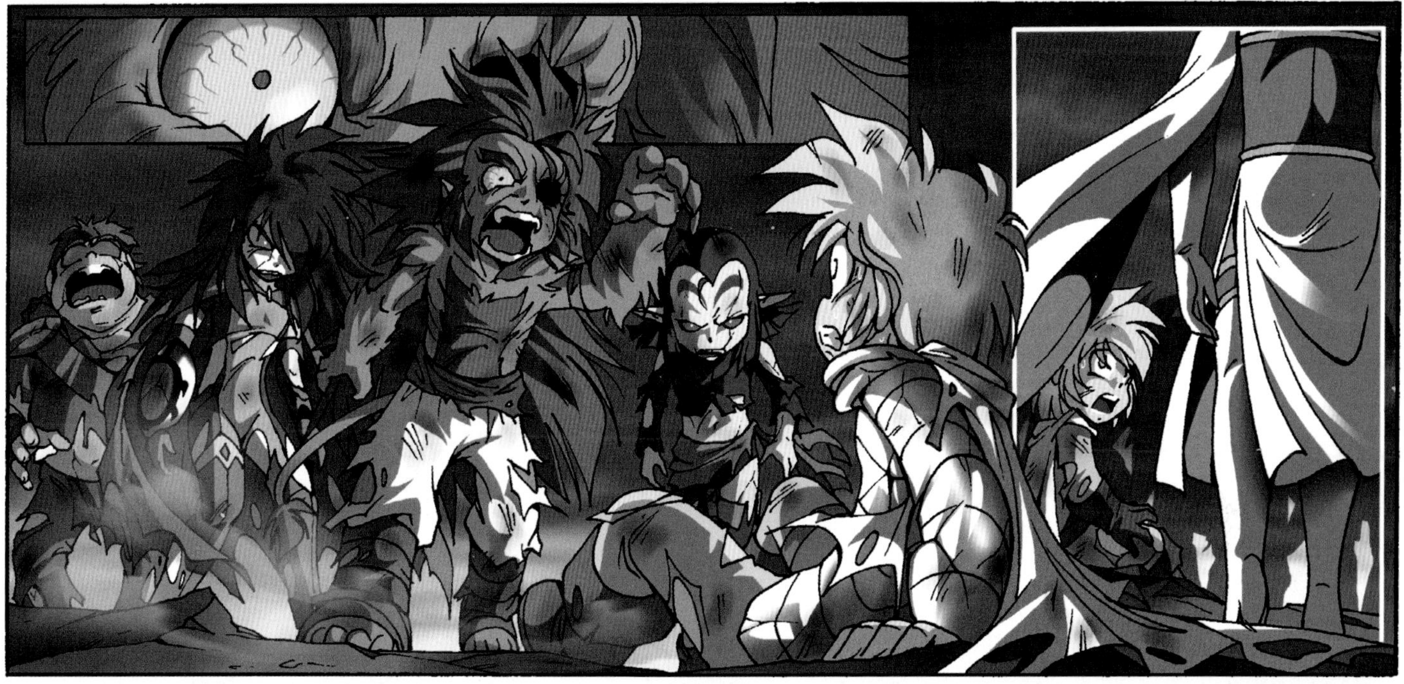

TU VAS ME FAIRE LE PLAISIR DE TE CHANGER, PAS QUESTION QUE TU AILLES À LA CÉRÉMONIE HABILLÉ COMME ÇA !!
QUOi ?
DÉSOLÉ, CHÉRIE. JE... JE NE ME SENS PAS TRÈS BIEN CE MATIN. VAS-Y SANS MOi, JE N'Ai PAS TROP LA TÊTE À ASSISTER À...

À L'AiDE !! AU SECOURS !!!
QU'EST-CE QUE ...
ÇA VIENT DU COULOIR !

HA, ENFIN QUELQU'UN !! AIDEZ-MOi, S'iL VOUS PLAIT ! LA PRÊTRESSE TÉNÉBRIS A DiSPARU. JE... JE CROIS QU'ELLE A ÉTÉ ENLEVÉE !!!

CALMEZ-VOUS, MONSIEUR !
ON VA VOUS AIDER.
"ON" ?

DES TRACES DE PAS VENANT DU BALCON. QUELQU'UN S'EST BIEN INTRODUIT DANS VOS APPARTEMENTS !

CEPENDANT, ON DIRAIT QUE LE RAVISSEUR N'A PAS FAIT DEMI-TOUR POUR REPARTIR PAR OÙ IL EST VENU, CE QUI SIGNIFIE...

... QUE LA PRÊTRESSE TÉNÉBRIS ET LE CRIMINEL SONT PEUT-ÊTRE ENCORE DANS L'ENCEINTE DU PALAIS !
QUELLE POSTURE HÉROÏQUE !! ON VOIT QUE C'EST UN GRAND HÉROS.

ViTE ! IL FAUT PRÉVENIR LA REINE POUR QUE SA GARDE LANCE DES RECHERCHES !!
QUELLE POSTURE DE FRIMEUR !! ON VOIT QUE C'EST UN GRAND NIGAUD.

iL N'EN EST PAS QUESTION !!
VOUS NE PRÉVIENDREZ LA REINE INVIDIA DE QUOI QUE CE SOIT !

RIEN NE DOIT VENIR PERTURBER LA CÉRÉMONIE DU BÂTON-AIGLE QUI AURA LIEU CE MATIN !
EN TANT QUE GRAND CONSEILLER, C'EST MON DEVOIR DE M'EN ASSURER.
NOUS ACCORDERONS À CETTE AFFAIRE TOUTE SON IMPORTANCE UNE FOIS LA CÉRÉMONIE FINIE. EN ATTENDANT, JE PRENDRAI LES DISPOSITIONS QUI S'IMPOSENT.
MAIS ENFIN ... LA PRÊTRESSE A ÉTÉ ENLEVÉE !!!
VOUS COMPTEZ NE RIEN FAIRE ?
GARDES, METTEZ-LES AUX ARRÊTS !!
PROFESSEUR VANGELIS ?!!
14

VRAIMENT ? ET PUIS-JE SAVOIR COMMENT VOUS COMPTEZ PROCÉDER...
... SACHANT QUE VOUS VOUS EN PRENEZ AUX COMPAGNONS D'ARTÉMUS DEL CONQUISADOR EN PERSONNE ??
ENCORE VOUS ? TOUJOURS LÀ OÙ ON NE VOUS ATTEND PAS, DÉCIDÉMENT.
HA ! HA ! HA !
VOUS ALLEZ VOIR, ARTÉMUS VA TOUT ARRANGER !!
ALORS, MÔSSIEUR LE GRAND CONSEILLER ...
... AUREZ-VOUS LE TOUPET DE DÉFIER LE GRAND LÉGENDAIRE ??
KLANG KLANG
APPAREMMENT ...
... OUIII !
SNIF !
AH BEN, IL EST BEAU NOTRE "LÉGENDAIRE" !!
LE CONTE DE FÉES EST TERMINÉ
COUIC ?
ALLONS, HAUT LES COEURS, MES AMIS ! DÈS QU'AMY SAURA CE QUI NOUS EST ARRIVÉ, ELLE NOUS FERA LIBÉRER !
MAIS... JE CROYAIS QU'ELLE NE S'ENTENDAIT PAS BIEN AVEC SA FAMILLE ?!
ELLE EST LA FILLE DU JUGE RAZZIA, UNE HAUTE AUTORITÉ DE LA COUR SUPRÊME !
ET OÙ EST-ELLE ? OÙ EST AMY ?
HÉLAS, JE NE SAIS PAS. JE NE L'AI QUE BRIÈVEMENT VUE HIER SOIR ET ELLE A REFUSÉ DE M'ADRESSER LA PAROLE QUAND JE LUI AI DEMANDÉ SI TOUT ALLAIT BIEN.
MANIFESTEMENT, QUELQUE CHOSE LA TOURMENTAIT !!
...
JE NE L'AI JAMAIS VUE DANS UN ÉTAT PAREIL.
J'AI PEUR QU'AMY NE FASSE UNE GROSSE BÊTISE !!
15

TAVERNIER !!!
UNE AUT' BOUTEILLE !
ON EST LE MATIN, MA PETITE !
LE BAR EST FERMÉ DEPUIS PLUS DE QUATRE HEURES !

AVIS DE RECHERCHE
CAPITAINE JADINA
10 000 KISHUS

VA FALLOIR PENSER À VIDER LES LIEUX FISSA !

...
J'BOIS À TA SANTÉ, PIRAAATE CHADINA !! J'SUIS SÛRE QUE TOI AU MOINS, PERSONNE ESSAIE DE CONTRÔLER TA VIIIE... OUAIP ! ET J'SUIS SÛRE AUSSI ...

AVIS DE RECHERCHE
CAPITAINE JADINA
10 000 KISHUS
... QUE T'AS JAMAIS BU UNE AUSSI MAUVAISE PICOLE QUE CE FICHU TOOORD-BOYAUX !!

DÉGAGE DE MON BAR !!

Maître Kantor

OUAIS BEN COMPTEZ PAS SUR MOI POUR FAIRE DE LA PUB À VOTRE BOUI-BOUI !

CETTE FILLE ... ELLE ME DIT QUELQUE CHOSE.
CAPITAINE
C'EST LA PERSONNE QUE J'AI VUE SUR L'AVIS DE RECHERCHE ... LA PIRATE JADINA !!!

16

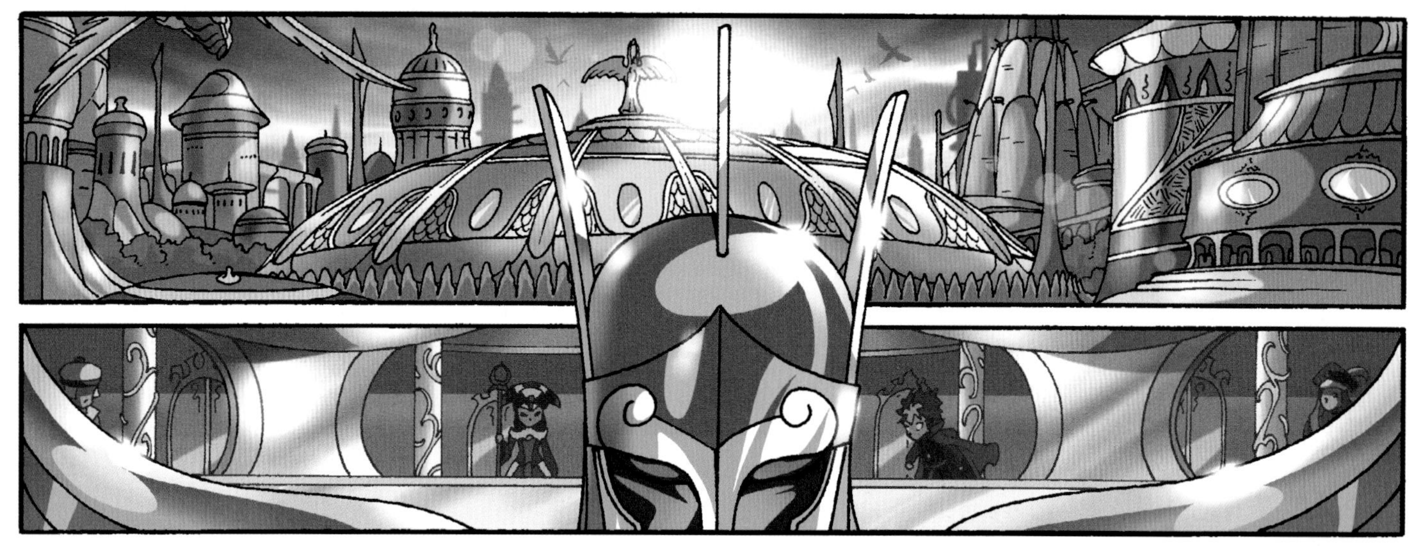

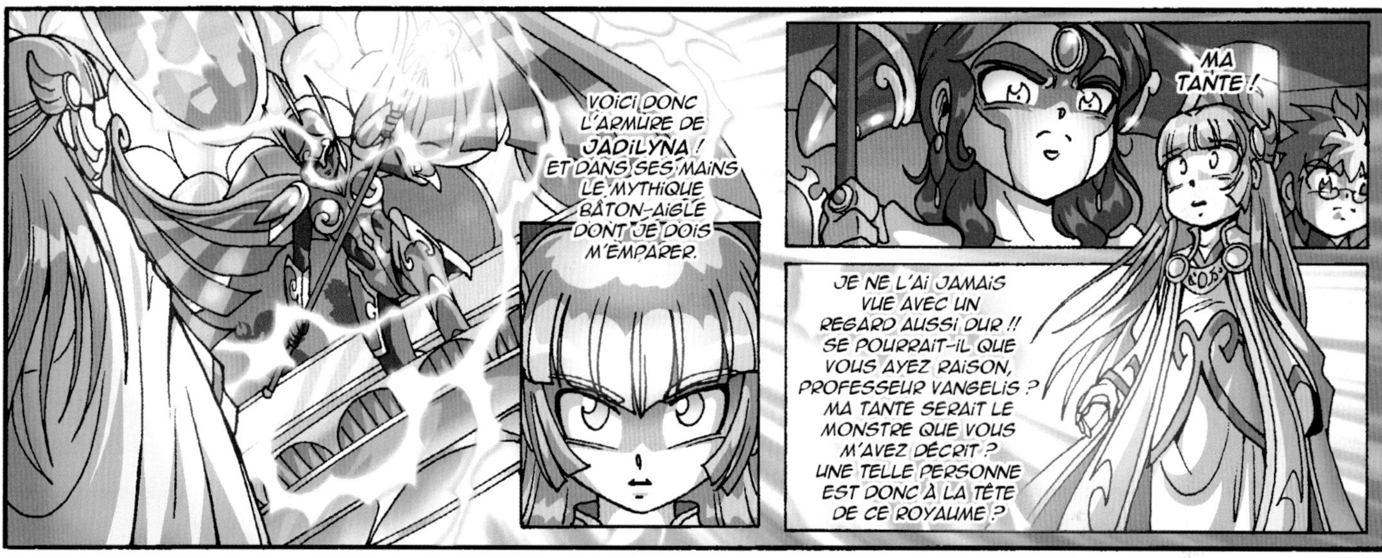
VOICI DONC L'ARMURE DE JADILYNA ! ET DANS SES MAINS LE MYTHIQUE BÂTON-AIGLE DONT JE DOIS M'EMPARER.
MA TANTE !
JE NE L'AI JAMAIS VUE AVEC UN REGARD AUSSI DUR !! SE POURRAIT-IL QUE VOUS AYEZ RAISON, PROFESSEUR VANGELIS ? MA TANTE SERAIT LE MONSTRE QUE VOUS M'AVEZ DÉCRIT ? UNE TELLE PERSONNE EST DONC À LA TÊTE DE CE ROYAUME ?

PROFESSEUR VANGELIS, VOUS VOILÀ ENFIN !! MAIS OÙ SONT DONC NOS INVITÉS ? N'ÉTIEZ-VOUS PAS CENSÉ LES CONDUIRE JUSQU'AU LIEU DE LA CÉRÉMONIE ?
IL Y A EU UN FÂCHEUX CONTRETEMPS DONT JE VOUS FERAI PART DANS UN INSTANT.
MAIS NE VOUS INQUIÉTEZ PAS, MA REINE. RIEN NE VIENDRA PERTURBER CE GRAND JOUR POUR ORCHIDIA !!!

JADILYNA MON AÏEULE, AIDEZ-MOI À HONORER LA MÉMOIRE DE MES PARENTS ...

... ET SI J'EN SUIS DIGNE ...
... FAITES DE MOI LA FUTURE REINE !!
17

JE NOUS AI ACHETÉ DE QUOI MANGER. JE SAIS PAS POUR TOI, MAIS MOI, J'AI LA DALLE !
HUMFF !! HUMFF !!

...
TIENS-TOI TRANQUILLE, D'ACCORD ? SINON, JE RISQUE DE M'ÉNERVER.

POURQUOI M'AVEZ-VOUS ENLEVÉE ? SI C'EST UNE RANÇON QUE VOUS VOULEZ, SACHEZ QUE L'ÉGLISE DE L'INFINITÉ SERA TOUTE DISPOSÉE À LA PAYER !
CRONCH CRONCH CRONCH CRONCH
EST-CE QUE TU POURRAIS ÉVITER DE CRIER, S'IL TE PLAIT !! ET FAIS MOINS DE BRUIT EN MANGEANT ! C'EST PAS VRAI, TU AS ÉTÉ ÉLEVÉE PAR DES GIRAWAS OU QUOI ?

CRONCH
NOUS ALLONS ATTENDRE BIEN SAGEMENT QUE MES HOMMES TROUVENT UN MOYEN DE NOUS EXTRAIRE D'ORCHIDIA. UNE FOIS À BORD DU ZÉPHYR, TU AURAS LES RÉPONSES À TES QUESTIONS ET TU SAURAS QUI M'A ENGAGÉE POUR TE CONDUIRE JUSQU'À LUI.

SULPS ! SULPS ! SULPS !
HEIN ? ME CONDUIRE JUSQU'À "LUI" ? MAIS DE QUI PARLEZ-VOUS DONC ?

NE CROYEZ PAS UNE PAROLE DE CETTE FEMME, ELLE ESSAYE DE VOUS MANIPULER ! LES PIRATES SONT CONNUS POUR LEUR FOURBERIE ET CELLE-CI NE DOIT PAS FAIRE EXCEPTION !

HIC !!
EN GARDE, CAPITAINE JADINA !! MOI AMY, DISCIPLE DU LÉGENDAIRE ARTÉMUS DEL CONQUISADOR, JE TE DÉFIE EN DUEL !!
LA DISCIPLE DU LÉGENDAIRE EN PERSONNE ? JE SUIS GÂTÉE, DITES DONC !
JE PRÉSUME QUE LA PRIME OFFERTE POUR MA CAPTURE EST LA RAISON DE NOTRE RENCONTRE ??
TA TÊTE ET LA RÉCOMPENSE QU'ELLE ME VAUDRAIT NE M'INTÉRESSENT PAS !
PAR CONTRE, TON ARRIÈRE-TRAIN ME DONNE UNE FURIEUSE ENVIE DE LE BOTTER !
18

SHUN-DAY !!
J'AI RÉUSSI !!!
J'AI LE BÂTON-AIGLE DE JADILYNA !!
BRAVO !!

HA ! HA ! HA ! ALORS, C'EST QUI LA MEILLEURE ?
MESDAMES ET MESSIEURS, SALUEZ VOTRE NOUVELLE REINE !!

DANS TA FACE, MA TANTE !
ZZZZZ
HOULA ! LE BÂTON EST PASSÉ EN MODE VIBREUR ?!

HAAAAAAAAAAAAA
HAAAAAAAAAAAAAH
CHAUD DEVANT !!!
SHUN-DAY, ARRÊTE-MOI ÇA TOUT DE SUITE !!
C'EST UN ORDRE !!
SHUN-DAY, POUR UNE FOIS, OBÉIS À TA TANTE !!
JE PEUUX PAAAAAS !!!
SCRRRRR
19

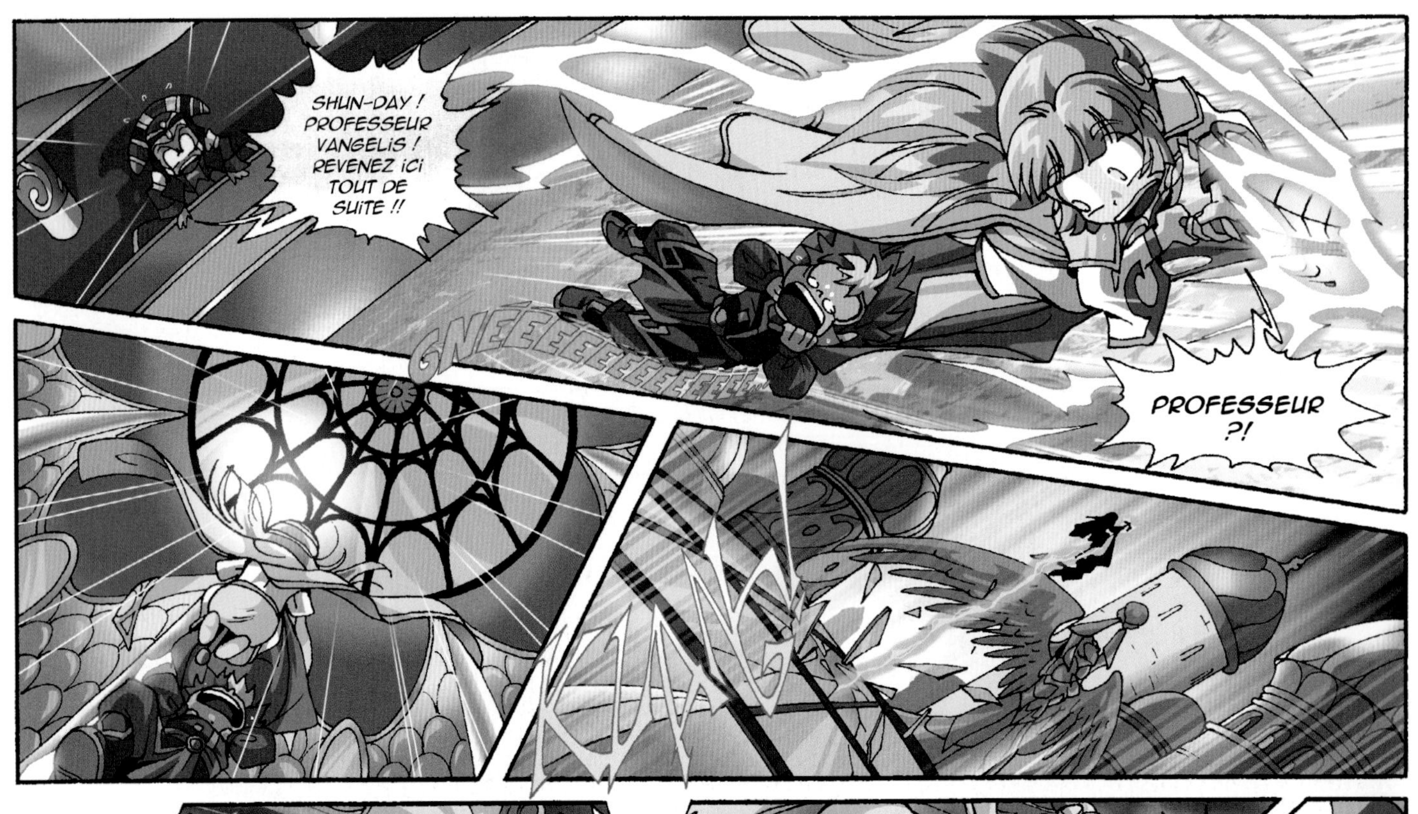
SHUN-DAY ! PROFESSEUR VANGELIS ! REVENEZ ICI TOUT DE SUITE !!
GNÉÉÉÉÉÉÉÉÉÉÉÉÉÉ...
PROFESSEUR ?!
KLANG !

SHUN-DAY, FAIS QUELQUE CHOSE ! C'EST TOI... QUI CONTRÔLES LE BÂTON-AIGLE À PRÉSENT !!

EST-CE QUE J'AI L'AIR DE CONTRÔLER QUELQUE CHOSE, SÉRIEUSE-MENT ?!

CRRRRRR
NOON !!

HAA...
HAAA...
SHUN-DAY, NE LÂCHE PAS LE BÂTON !

HAAA !!

20

BON SANG ! MAIS DE QUOI EST DONC FAIT TON FICHU BÂTON ? PAS MOYEN D'Y FAIRE LA MOINDRE ENTAILLE !

MON MAJAKAÏ A ÉTÉ TAILLÉ DANS DU BOIS D'ARBRE IKAÉ, IL EST PLUS DUR QUE L'ACIER.

MAIS TU VAS VITE T'APERCEVOIR ...
... QUE CE N'EST PAS SA SPÉCIFICITÉ LA PLUS ÉTONNANTE !

BAM
GRANDIS, BÂTON MYSTIQUE !!!

HUNNG... SALETÉ !
CAPITAINE JADINA, C'EST ICI QUE TA CARRIÈRE DE PIRATE S'ARRÊTE !!!

LE... BÂTON-AIGLE DE JADILYNA, ICI ?
C'EST... C'EST IMPOSSIBLE !!

LE BÂTON-AIGLE ?

AAAAAAAAAAAAAH
HAAA...
HA ! HA ! HA ! HA ! HA ! HA !
JE NE SAIS PAS QUI M'A FAIT CADEAU DE CETTE BAGUETTE MAGIQUE ...
MAIS J'ADOOORE !

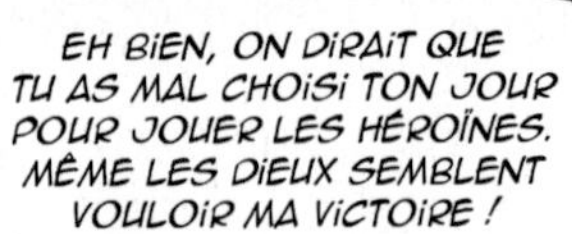
EH BIEN, ON DIRAIT QUE TU AS MAL CHOISI TON JOUR POUR JOUER LES HÉROÏNES. MÊME LES DIEUX SEMBLENT VOULOIR MA VICTOIRE !

LES DIEUX NE VEULENT LA MORT DE PERSONNE !
PLUS DE VIOLENCE, S'IL VOUS PLAÎT !! JE VOUS SUIVRAI SANS RÉSISTER, JE VOUS LE PROMETS.
MAIS EN ÉCHANGE, JE VOUS DEMANDE D'ÉPARGNER CETTE JEUNE FEMME !!

JE LIS DANS TES YEUX QUE TU ES SINCÈRE, TÉNÉBRIS.

MAIS ...
... HÉLAS, JE NE CROIS PAS QUE LA DISCIPLE D'ARTÉMUS NOUS LAISSERA FILER GENTIMENT.
22

ELLE DOIT MOURIR !!

QUOi ?
QU'EST-CE QUE VOUS DITES ??

JE... C'ÉTAIT UN ORDRE DU GRAND CONSEILLER VANGELIS, JUGE RAZZiA ! C'EST LUi QUi A ORDONNÉ L'ARRESTATION DU LÉGENDAIRE ET DE SES AMIS !
JE ME FICHE QUE DEL CONQUiSADOR CROUPiSSE EN PRiSON...

... MAiS Si MA FiLLE FAiT PARTiE DU LOT, ÇA VA CHAUFFER POUR VOTRE MATRICULE, CAPiTAiNE ! JE VOUS ASSiGNERAi À LA GARDE DU MUR DE WiNTERFALL JUSQU'À LA FiN DE VOTRE ViE.

BRRRRRRR
QUE... QU'EST-CE QUE C'EST ? UN TREMBLEMENT DE TERRE ?!
NE DiTES PAS DE SOTTiSES, CAPiTAiNE !!
iL N'Y A JAMAiS RiEN EU DE TEL À LA CAPiTALE !!

TAP
TAP
TAP
DÉPÊCHEZ-VOUS, J'Ai UN MAUVAiS PRESSENTiMENT !

AMY !! EST-CE QUE TU VAS B...

UNE... ÉVASiON ?!
CAPiTAiNE, OUVREZ-MOi CETTE CELLULE ET DONNEZ L'ALERTE !
MAiS... JE N'Ai PAS LES CLÉS.
ALORS ALLEZ LES CHERCHER, SOMBRE iDiOT !!

QUELLES SONT LES NOUVELLES ?? EST-CE QUE GRYF ET TOi AVEZ ENFiN TROUVÉ LA SOURCE DE MAGiE ÉLÉMENTAIRE SUR ALYSiA ??

C'EST... UN PEU PLUS COMPLiQUÉ QUE PRÉVU, JE NE PEUX PAS T'EN DiRE DAVANTAGE. ET SUR ASTRiA, QUELLE EST LA SiTUATiON ?

LES AUTORiTÉS ESSAiENT DE NOUS RASSURER MAiS PERSONNE N'EST DUPE.

ON NE SAiT TOUJOURS PAS Si LES TREMBLEMENTS DE TERRE ONT UN RAPPORT AVEC LE PHÉNOMÈNE...

VOUS VOUS FEREZ DES PAPOUILLES AU CRYSTAPHONE UN AUTRE JOUR, SOLARIS.
ON A DE LA VISITE !

ET QUELQUE CHOSE ME DIT ...
... QU'ILS SONT PAS ENVOYÉS PAR L'OFFICE DU TOURISME.

JE DOIS TE LAISSER, REGEN.
JE T'AIME !!

MAIS QU'EST-CE QUE NOUS AVONS LÀ ? DES ELFES ÉGARÉS ? C'EST-Y PAS MIGNON !
VOUS AVEZ PAS DE CHANCE ! ICI, C'EST À PRÉSENT NOTRE TERRITOIRE DEPUIS QUE LE GANG D'EL DIABLO S'EST...

UNE, DEUX...
UNE, DEUX...
MAIS ILS FONT QUOI, LÀ ?

... TROIS !!
À MOI LA BASTONNADE !!!
OUAIS BEN DÉPÊCHE-TOI D'EN FINIR ! ON A UNE MISSION, ON N'A PAS DE TEMPS À PERDRE EN FUTILITÉS !
RAPPELLE-MOI QUI ÉTAIT EN TRAIN DE PASSER UN COUP DE FIL À SON AMOUREUSE IL Y A UNE MINUTE ?
LA FEUILLE BAT LA PIERRE, J'AI GAGNÉ !
DÉSOLÉ POUR L'ATTENTE !!
JE SUIS À VOUS, LES GARS !!
25

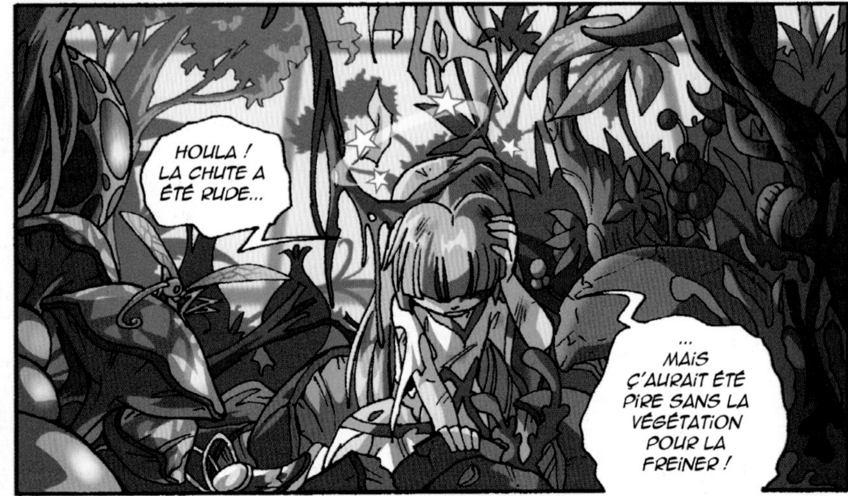
HOULA ! LA CHUTE A ÉTÉ RUDE...
... MAIS ÇA AURAIT ÉTÉ PIRE SANS LA VÉGÉTATION POUR LA FREINER !

OÙ EST-IL ??

PROFESSEUR, VOUS ÊTES VIV
AIDE-MOI À TROUVER LE BÂTON-AIGLE AU LIEU DE JACASSER !!

IL A DÛ TOMBER PAR ICI !!

UNE FOIS QUE NOUS AURONS MIS LA MAIN DESSUS, NOUS OFFICIALISERONS TON ACCESSION AU TRÔNE ET TOUT RENTRERA DANS L'ORDRE !

HAAN... HAAN... HAAN...
P... PROFESSEUR. VOUS ALLEZ BIEN ?
TU... TU DOIS DEVENIR REINE, TU M'ENTENDS ?
IL LE FAUT ! IL... IL...
PROFESSEUR, LE BÂTON-AIGLE M'A REJETÉE. VOUS L'AVEZ VU... TOUT LE MONDE L'A VU !
IL ...
IL T'A ... REJETÉE ?!

IL T'A REJETÉE ?!!
SLAAASH
26

PROFESSEUR, POURQUOI M'AVEZ-VOUS FRAPPÉE ?

POURQUOI ? J'ÉTAIS À DEUX DOIGTS D'ACCÉDER ENFIN AU POUVOIR ! SI TU ÉTAIS DEVENUE REINE, ÇA N'AURAIT PLUS ÉTÉ QU'UNE QUESTION DE TEMPS AVANT DE TE FAIRE TOMBER AMOUREUSE DE MOI POUR DEVENIR ROI À MON TOUR. TOUT CE QUE TU AVAIS À FAIRE, C'ÉTAIT TE MONTRER DIGNE DE CE FICHU BÂTON !!!
VOUS... VOULEZ LE TRÔNE D'ORCHIDIA ?!

BIEN SÛR ! POUR QUELLE AUTRE RAISON ME SERAIS-JE DONNÉ LA PEINE D'ASSASSINER TES CHERS PARENTS ?

ASSASSINER ...
... MES PARENTS ?!

ÉVIDEMMENT, J'AI D'ABORD CHERCHÉ À SÉDUIRE ADEYRID, TA MÈRE, POUR TENTER D'ACCÉDER AU POUVOIR. MAIS CETTE CRUCHE N'AVAIT D'YEUX QUE POUR KINDER, TON CRÉTIN DE PATERNEL.
COMPRENANT QUE MON ACCESSION À LA COURONNE NE PASSERAIT QUE PAR TOI, J'AI EMPOISONNÉ TES PARENTS. EN TANT QUE MÉDECIN DE LA FAMILLE ROYALE, IL NE M'A PAS ÉTÉ DIFFICILE DE SIMULER LES SYMPTÔMES DE LA MALADIE DE LERDAMER.

NON ! JE REFUSE DE CROIRE CE QUE VOUS DITES ! VOUS... VOUS AVEZ TOUJOURS ÉTÉ SI GENTIL AVEC MOI, TOUJOURS PRÊT À PRENDRE MA DÉFENSE CONTRE MA TANTE QUI ME DÉTESTE !!
HA! HA!
HA! HA!
TA TANTE QUI TE DÉTESTE ??
SHUN-DAY, TA NAÏVETÉ NE CESSERA JAMAIS DE ME SURPRENDRE !
PAUVRE SOTTE, INVIDIA DONNERAIT SA VIE POUR TOI !!!

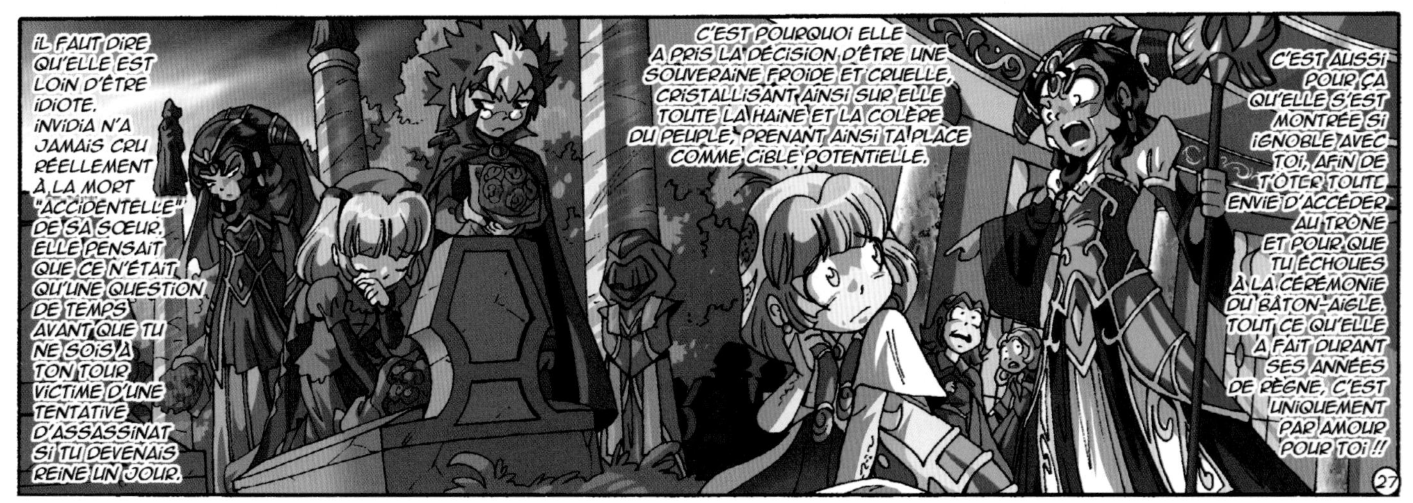
IL FAUT DIRE QU'ELLE EST LOIN D'ÊTRE IDIOTE. INVIDIA N'A JAMAIS CRU RÉELLEMENT À LA MORT "ACCIDENTELLE" DE SA SŒUR. ELLE PENSAIT QUE CE N'ÉTAIT QU'UNE QUESTION DE TEMPS AVANT QUE TU NE SOIS À TON TOUR VICTIME D'UNE TENTATIVE D'ASSASSINAT SI TU DEVENAIS REINE UN JOUR.
C'EST POURQUOI ELLE A PRIS LA DÉCISION D'ÊTRE UNE SOUVERAINE FROIDE ET CRUELLE, CRISTALLISANT AINSI SUR ELLE TOUTE LA HAINE ET LA COLÈRE DU PEUPLE, PRENANT AINSI TA PLACE COMME CIBLE POTENTIELLE.
C'EST AUSSI POUR ÇA QU'ELLE S'EST MONTRÉE SI IGNOBLE AVEC TOI, AFIN DE T'ÔTER TOUTE ENVIE D'ACCÉDER AU TRÔNE ET POUR QUE TU ÉCHOUES À LA CÉRÉMONIE DU BÂTON-AIGLE. TOUT CE QU'ELLE A FAIT DURANT SES ANNÉES DE RÈGNE, C'EST UNIQUEMENT PAR AMOUR POUR TOI !!
27

MA... TANTE ... M'AIME ?!

EH OUI ! JE PEUX MÊME TE DIRE QU'ELLE SERA DÉVASTÉE EN APPRENANT LA NOUVELLE DE TA CHUTE MORTELLE.

VOUS ... VOUS ALLEZ ME TUER ÉGALEMENT ?? NOON ! PITIÉ ! JE... JE NE DIRAI RIEN À PERSONNE !!

ÇA, J'EN SUIS CERTAIN !! VU LA HAUTEUR À LAQUELLE SE TROUVE CETTE SERRE, TA MORT SERA INSTANTANÉE LORS DE L'IMPACT AU SOL.

KSLACH

K-BAM

ASGAROTH ... MON AMI, TU ES VENU ME SAUVER !!
28

C'EST INCROYABLE, SHIMY !
TES POUVOIRS SONT HALLUCINANTS !
ET ÉPUISANTS ! IL FAUT... QUE JE ME REPOSE UN INSTANT.
JE PEUX SAVOIR QUAND EST-CE QUE VOUS COMPTIEZ ME PARLER DE VOS POUVOIRS ÉLÉMENTAIRES ??
ARRÊTEZ DONC DE RÂLER, ARTÉMUS ! NOUS SOMMES SORTIS DE PRISON ET C'EST LE PLUS IMPORTANT !!

SHIMY A CREUSÉ UNE GALERIE LOIN AU-DELÀ DES MURS DE LA PRISON MAIS... OÙ SOMMES-NOUS ?
DANS LES BAS-FONDS D'ORCHIDIA, SI J'EN JUGE PAR L'ODEUR PESTILENTIELLE. MIEUX VAUT NE PAS RESTER DANS LE COIN.
JE SUIS D'ACCORD. CES ENDROITS SONT DE VRAIS COUPE-GORGE D'APRÈS CE QUI SE DIT.

AMY ?!
AMY !!!
AMY... TIENS BON ! ON... ON VA ALLER CHERCHER UN MÉDECIN !!
M... MAÎTRE ARTÉMUS ! FUYEZ ... FUYEZ !! ELLE EST TROP FORTE !
TIENS, TIENS ! QUI AVONS-NOUS LÀ ?
29

NE SERAIT-CE PAS LE GÉNIALISSIME DEL CONQUISADOR VENU PORTER SECOURS À SA PROTÉGÉE ?
PRINCES...
CAPITAINE JADINA ??
MAIS...
VOUS ...
... VOUS ÊTES LA FEMME DE MES RÊVES ?!
NON MAIS ÇA VA PAS BIEN, TOI ?
BOM
J'SUIS DÉSOLÉ !!
HA ! HA ! HA !
DÉSOLÉE, LE BLONDINET. MAIS T'ES VRAIMENT PAS MON GENRE DE MECS !
MAIS POURQUOI JE ROUGIS, MOI ??
BYSKAROS ??
C'EST BIEN TOI ?
PRÊTRESSE TÉNÉBRIS !!!
VOUS ALLEZ BIEN ?
POC !
OÙ TU CROIS ALLER COMME ÇA, GROS PIF ?
FZAAAAM
30

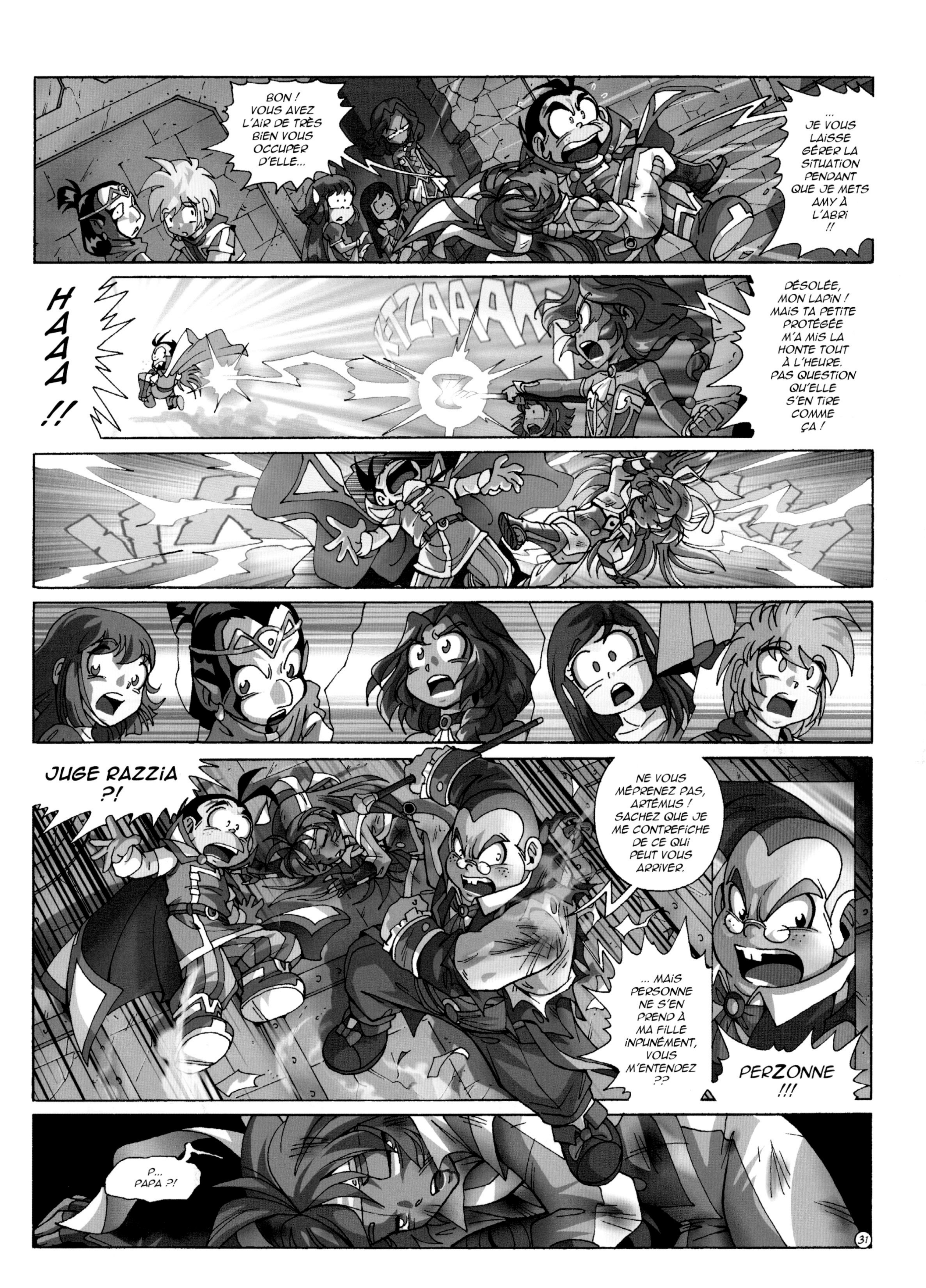
BON ! VOUS AVEZ L'AIR DE TRÈS BIEN VOUS OCCUPER D'ELLE...
... JE VOUS LAISSE GÉRER LA SITUATION PENDANT QUE JE METS AMY À L'ABRI !!
HAAAA !!
DÉSOLÉE, MON LAPIN ! MAIS TA PETITE PROTÉGÉE M'A MIS LA HONTE TOUT À L'HEURE. PAS QUESTION QU'ELLE S'EN TIRE COMME ÇA !
JUGE RAZZIA ?!
NE VOUS MÉPRENEZ PAS, ARTÉMUS ! SACHEZ QUE JE ME CONTREFICHE DE CE QUI PEUT VOUS ARRIVER.
... MAIS PERSONNE NE S'EN PREND À MA FILLE IMPUNÉMENT, VOUS M'ENTENDEZ ??
PERZONNE !!!
P... PAPA ?!
31

ASGAROTH !! LE PROFESSEUR VANGELIS ME VEUT DU MAL, JE T'ORDONNE DE LE TUER !!

BING !
ÉCRABOUILLE-LE, ASGAROTH !!

STOP !!

ALLONS, SHUN-DAY. N'OUBLIE PAS QUE C'EST MOI QUI T'AI OFFERT CE GARDE DU CORPS AUTOMATE ET HORS DE PRIX. ME CROIS-TU ASSEZ STUPIDE POUR NE PAS AVOIR PENSÉ...

... À EN GARDER LE CONTRÔLE ?

ASGAROTH, C'EST MOI TON SEUL ET UNIQUE MAÎTRE ! ET EN TANT QUE TEL, JE T'ORDONNE...
... DE T'ARRACHER LA TÊTE !!!

ASGAROTH ! NON, NE FAIS PAS ÇA ! NON !!
NOOOOOOON !!!
32

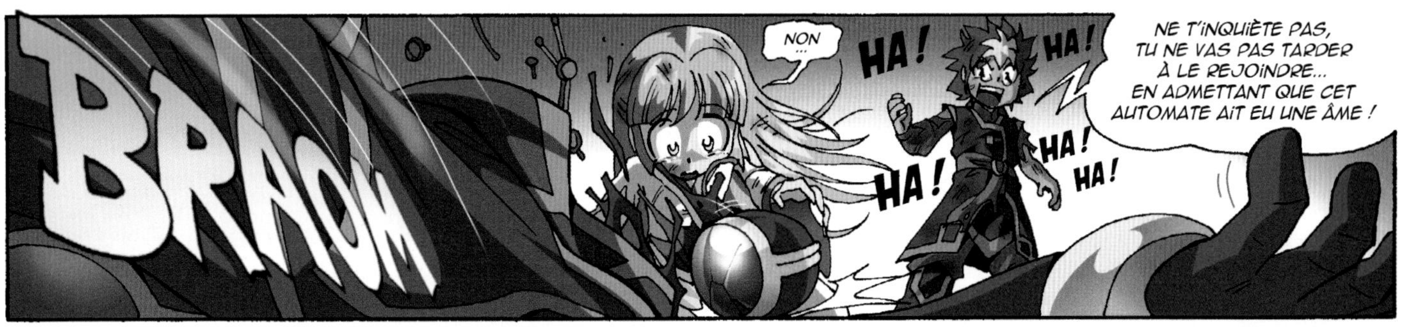
BRAOM
NON ...
HA ! HA !
HA ! HA !
HA ! HA !
NE T'INQUIÈTE PAS, TU NE VAS PAS TARDER À LE REJOINDRE... EN ADMETTANT QUE CET AUTOMATE AIT EU UNE ÂME !

HAA...
HAAA...
HAAAA...
HAAAAAAAAAAAAA !!!

J'AI TOUJOURS TROUVÉ TA SENSIBLERIE ÉCŒURANTE. VOILÀ BIEN UNE CHOSE QUI NE ME MANQUERA PAS...
... QUAND JE ME SERAI DÉBARRASSÉ...

... DE TOI.

QUE ... ?

33

TUMB
EST-CE QUE ÇA VA ALLER ??
JE VOUS INTERDIS DE ME TOUCHER, ARTÉMUS !
MAIS C'EST PAS POSSIBLE, ÇA !! IL VA EN ARRIVER ENCORE COMBIEN COMME ÇA ? J'AIMERAIS BIEN QU'ON ME LAISSE FAIRE MON TRAVAIL CORRECTEMENT SI C'EST PAS TROP DEMANDER !

SHIMY, EST-CE QUE TU PENSES AVOIR ENCORE LA FORCE DE LANCER UNE ATTAQUE ÉLÉMENTAIRE ?
HEU... JE CROIS.
BON, JE VAIS FAIRE DIVERSION.
LANCE-LA DÈS QUE JE ME METS À COURIR.

HÉ, TOI !! OÙ TU CROIS ALLER COMME ...

... ÇA ?

BAAM
BIEN JOUÉ, SHIMY !
SHIMY ?!
HOOOOOOO
JE LA TIENS !!
ELLE N'A RIEN, ELLE S'EST JUSTE ÉVANOUIE.

ELLE NE VERRA DONC PAS SA MORT VENIR, ELLE A DE LA CHANCE !

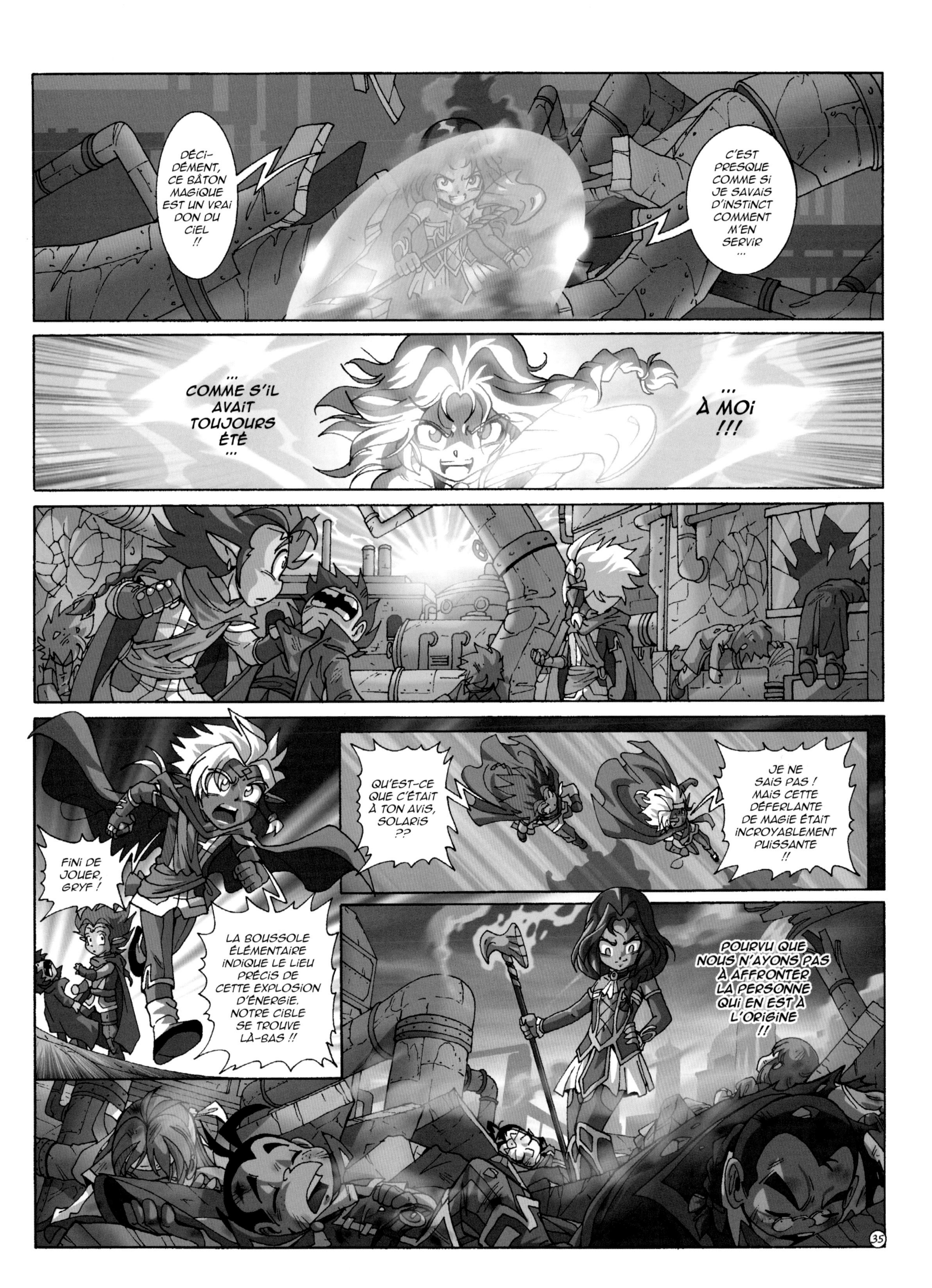
DÉCIDÉMENT, CE BÂTON MAGIQUE EST UN VRAI DON DU CIEL !!
C'EST PRESQUE COMME SI JE SAVAIS D'INSTINCT COMMENT M'EN SERVIR ...
... COMME S'IL AVAIT TOUJOURS ÉTÉ ...
... À MOI !!!
FINI DE JOUER, GRYF !
QU'EST-CE QUE C'ÉTAIT À TON AVIS, SOLARIS ??
JE NE SAIS PAS ! MAIS CETTE DÉFERLANTE DE MAGIE ÉTAIT INCROYABLEMENT PUISSANTE !!
LA BOUSSOLE ÉLÉMENTAIRE INDIQUE LE LIEU PRÉCIS DE CETTE EXPLOSION D'ÉNERGIE. NOTRE CIBLE SE TROUVE LÀ-BAS !!
POURVU QUE NOUS N'AYONS PAS À AFFRONTER LA PERSONNE QUI EN EST À L'ORIGINE !!
35

SHUN-DAY !
SHUN-DAY !!

iL EST MORT.
LE PROFESSEUR VANGELIS EST MORT !!

iL A SUCCOMBÉ AUX BLESSURES DE NOTRE CHUTE. MAiS AVANT DE MOURiR, iL A TENU À SOULAGER SA CONSCiENCE...
... EN AVOUANT L'ASSASSiNAT DE MES PARENTS. iL LES A EMPOiSONNÉS EN MAQUiLLANT LEUR MORT EN MALADiE.

ASGAROTH EST MORT LUi AUSSi, iL S'EST AUTODÉTRUiT SOUS MES YEUX.
JE PORTE MALHEUR AUX GENS QUi M'ENTOURENT ... JE SUiS UN MONSTRE !!

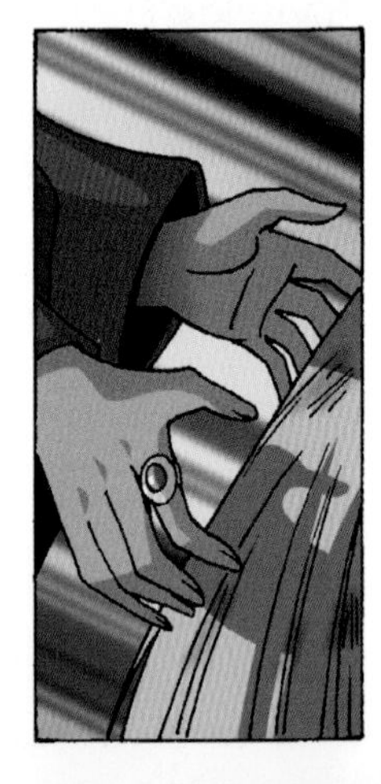
JE T'iNTERDiS DE DiRE ÇA ! S'iL DOiT Y AVOiR UNE RESPONSABLE, C'EST BiEN MOi. C'ÉTAiT MON RÔLE DE TE PROTÉGER ET JE N'Ai PAS SU M'Y PRENDRE, PARDONNE-MOi !
MAiS JE TE PROMETS DE CHANGER, MA CHÉRiE. DORÉNAVANT, JE SERAi PLUS PRÉSENTE ET PLUS AiMANTE. PLUS JAMAiS TU NE MANQUERAS D'AMOUR !!

NOUS FORMERONS UNE VRAiE FAMiLLE !!

MAiS NE PENSE PAS UN SEUL iNSTANT QUE TU ES UN MONSTRE.
36

AA...
AAA...
AAA
...

AAAA...

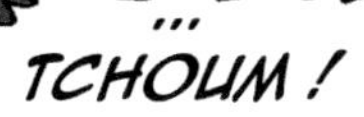
... TCHOUM !

HA ! HA ! HA
J'Y CROIS PAS ! T'AS TROUVÉ LE MOYEN DE T'ENRHUMER ICI ? AVEC LA CHALEUR QUI RÈGNE DANS LE DÉSERT DE MULIBA ?
ÇA N'A RIEN À VOIR ! C'EST JUSTE QUE JE SUIS ALLERGIQUE À LA MAGIE NOIRE QUE DÉGAGE LA PRISON.
AH OUI ? DANS CE CAS, ÇA IRA MIEUX QUAND LE SORCIER NOIR SERA EXÉCUTÉ LA SEMAINE PROCHAINE !
AINSI, C'EST BIEN LA MAGIE DE MON PÈRE QUE J'AI RESSENTIE DEPUIS MON RETOUR SUR ALYSIA !!

CONDUISEZ-MOI JUSQU'AU LIEU OÙ VOUS DÉTENEZ LE SORCIER NOIR ...
... ET JE VOUS LAISSERAI PEUT-ÊTRE EN VIE !

VOUS... VOUS ÊTES VENU POUR LIBÉRER LE SORCIER DARKHELL ??

BENTO, SONNE L'ALARME, VITE !!!
OOOOUU

TANT PIS !
37

VRAOOM
?!

HÉ ! VOUS POUVEZ FAIRE UN PEU MOINS DE BRUIT ? Y EN A QUI ESSAIENT DE DORMIR ICI !!

COMMENT PEUX-TU ÊTRE ENCORE EN VIE ?

ET QUEL EST CE MONDE DANS LEQUEL ...

... LES LÉGENDAIRES N'EXISTENT PAS AILLEURS QUE DANS DES ŒUVRES DE FICTION ?

HEU... T'ES QUI, TOI ?
38

BON ...
... OÙ EST DONC PASSÉE TÉNÉBRIS DANS TOUT CE FOUTOIR ?
?!
DES CARAPAX ?!
J'AI FINI PAR ATTIRER L'ATTENTION DES AUTORITÉS, C'ÉTAIT À PRÉVOIR. NE TARDONS PAS ICI !
QUE... ?
BLONDINET ?!
TU AS LA PEAU DURE, DIS-MOI ! MAIS FAIS UN PAS DE PLUS ET C'EST TA COPINE QUI...
BOUCLIER !!
BONG
JE N'AI JAMAIS VU QUELQU'UN SE DÉPLACER À UNE TELLE VITESSE ...
SURTOUT DANS L'ÉTAT OÙ IL EST. IL A L'AIR À PEINE CONSCIENT.
C'EST PAS VRAI !!
IL REMET ÇA !!!
39

BOUCLi...

JE DÉTESTE LA ViOLENCE ... QUE LES DIEUX ME PARDONNENT !!
THUMB
HAAA !! MAiS... QU'EST-CE QUi S'EST PASSÉ ? J'Ai ENCORE EU UNE ABSENCE ??
BEN DiTES DONC, C'ÉTAiT UN SACRÉ BAISER ALORS !

UN BAiSER ? MAiS DE QUOi EST-CE QUE VOUS...
SHiMY !! OÙ EST SHiMY ??

MAiS ELLE VA DEVOiR NOUS ACCOM-PAGNER SUR ASTRiA, DÉSOLÉ !
T'iNQUIÈTE PAS POUR TA COPiNE, ELLE VA BiEN.
40

SHIMY !!

MES JAMBES... ELLES NE ME TIENNENT PLUS.

NON !

JE DOIS PROTÉGER LA FEMME QUE J'AIME !!

JE DOIS ...
... LA PROTÉGER !!

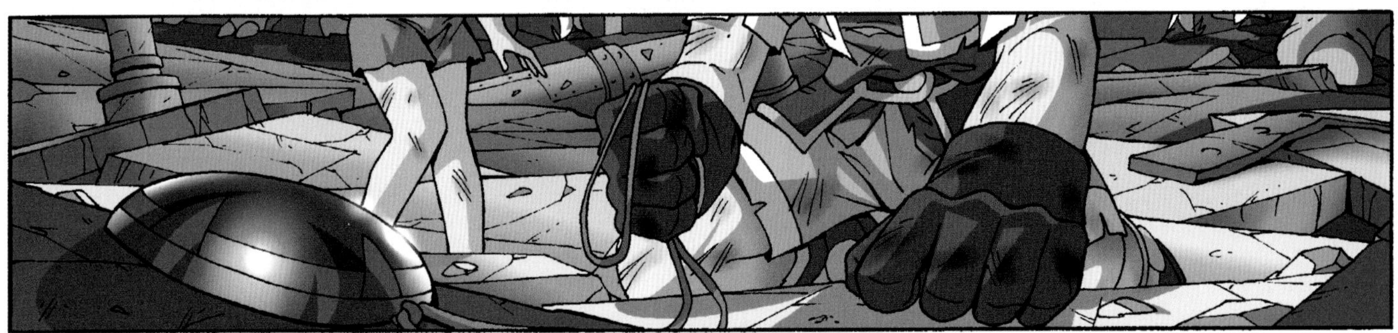

41

JE VOUS CONFIE LA CLÉ ELFIQUE QUE M'A OFFERTE LE ROI KASH-KASH. ELLE VOUS PERMETTRA DE VOUS RENDRE À ASTRIA POUR RETROUVER VOTRE AMIE DISPARUE IL Y A DEUX JOURS.
MERCI, VOTRE MAJESTÉ.

SHIMY N'A PAS DISPARU !! LES ELFES ÉLÉMENTAIRES L'ONT KIDNAPPÉE, VOUS N'AVEZ PAS ENCORE COMPRIS ??
DANAËL ...
JE VOUS CROIS SUR PAROLE.

MAIS ASTRIA EST L'ALLIÉE DU PAYS D'ORCHIDIA ET JE NE VOUDRAIS PAS QUE VOUS DÉCLENCHIEZ UNE GUERRE CONTRE LE PEUPLE ELFIQUE.
JE CONSENS À VOUS AIDER DANS VOTRE QUÊTE DANS LA MESURE DE MES MOYENS MAIS JE TIENS À CE QU'UN DIPLOMATE VOUS ACCOMPAGNE.

LE JUGE RAZZIA CONNAIT BIEN LES LOIS ET COUTUMES ELFIQUES. IL SERA VOTRE MÉDIATEUR AUPRÈS DES AUTORITÉS D'ASTRIA POUR OBTENIR LA LIBÉRATION DE VOTRE AMIE !
CE SERA UN HONNEUR, MA REINE !!
C'EST UNE BLAGUE ?!!

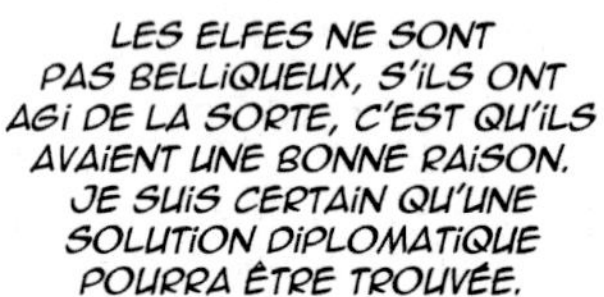
LES ELFES NE SONT PAS BELLIQUEUX, S'ILS ONT AGI DE LA SORTE, C'EST QU'ILS AVAIENT UNE BONNE RAISON. JE SUIS CERTAIN QU'UNE SOLUTION DIPLOMATIQUE POURRA ÊTRE TROUVÉE.

FUIIIISH

PLAIT-IL ?
TRÈS BIEN, NOUS ESSAIERONS VOTRE MÉTHODE !! MAIS JE SAURAI ME SERVIR DE MA LAME SI ELLE S'AVÈRE INEFFICACE !

IL Y A DES LOIS, CHER MONSIEUR ! LORSQU'ELLES ÉCHOUENT, C'EST À CAUSE DE GENS COMME VOUS QUI NE SAVENT QUE FAIRE PARLER LES ARMES !

MOI AUSSI, JE SERAI DU VOYAGE !!
42

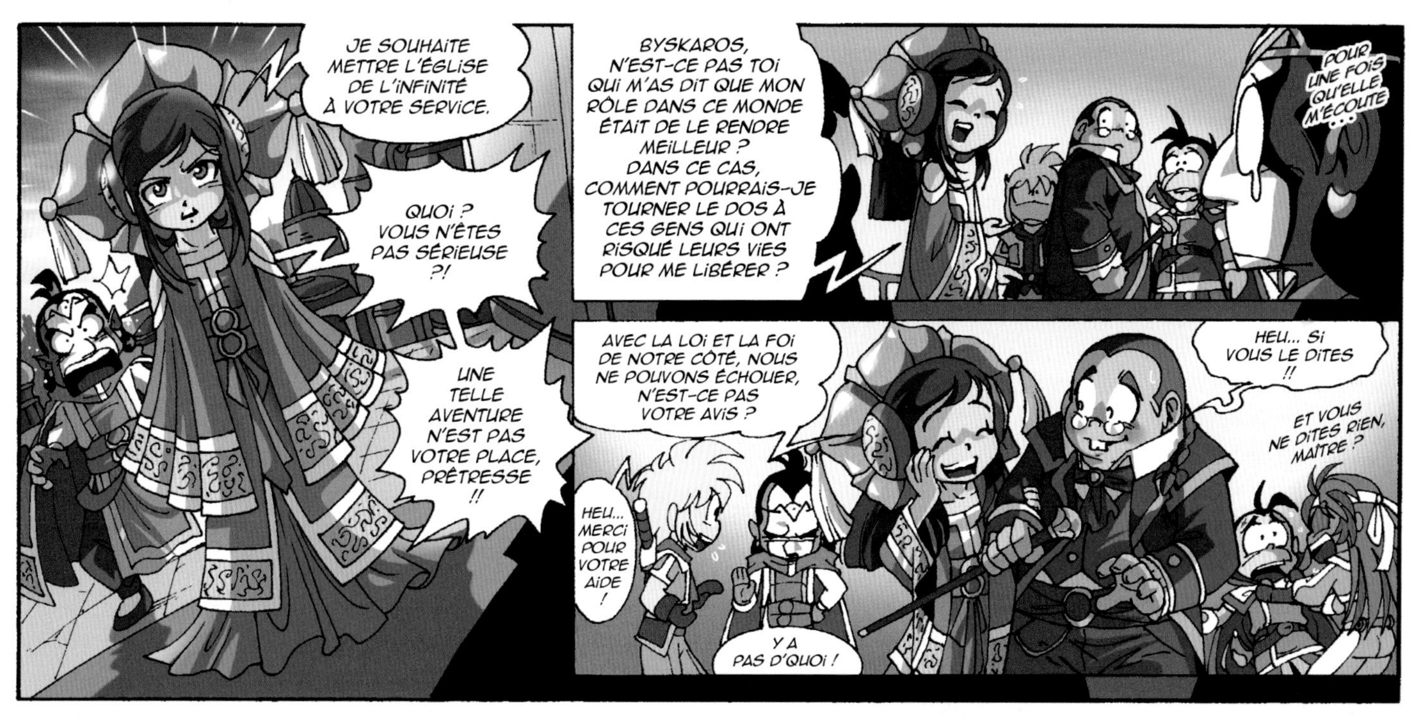
JE SOUHAITE METTRE L'ÉGLISE DE L'INFINITÉ À VOTRE SERVICE.
QUOI ? VOUS N'ÊTES PAS SÉRIEUSE ?!
UNE TELLE AVENTURE N'EST PAS VOTRE PLACE, PRÊTRESSE !!
BYSKAROS, N'EST-CE PAS TOI QUI M'AS DIT QUE MON RÔLE DANS CE MONDE ÉTAIT DE LE RENDRE MEILLEUR ? DANS CE CAS, COMMENT POURRAIS-JE TOURNER LE DOS À CES GENS QUI ONT RISQUÉ LEURS VIES POUR ME LIBÉRER ?
POUR UNE FOIS QU'ELLE M'ÉCOUTE...
AVEC LA LOI ET LA FOI DE NOTRE CÔTÉ, NOUS NE POUVONS ÉCHOUER, N'EST-CE PAS VOTRE AVIS ?
HEU... SI VOUS LE DITES !!
ET VOUS NE DITES RIEN, MAÎTRE ?
HEU... MERCI POUR VOTRE AIDE !
Y A PAS D'QUOI !

HEU... VOTRE MAJESTÉ, NOUS ESPÉRIONS SALUER LA PRINCESSE AVANT NOTRE DÉPART POUR ASTRIA. COMMENT VA-T-ELLE ?

LA PRINCESSE SHUN-DAY NE SE JOINDRA PAS À NOUS.

DEPUIS QUE LE PROFESSEUR VANGELIS A TENTÉ DE L'ASSASSINER ET QU'ELLE A APPRIS LA VÉRITÉ AU SUJET DE LA MORT DE SES PARENTS...
MA NIÈCE RESTE CLOÎTRÉE DANS SA CHAMBRE. C'EST À PEINE SI ELLE SE NOURRIT ET ELLE A DONNÉ DES CONSIGNES POUR QU'ELLE NE SOIT DÉRANGÉE EN AUCUN CAS.
ELLE RESTE ENFERMÉE JOUR ET NUIT EN AYANT COMME SEULE OCCUPATION LA LECTURE DE SES LIVRES, COMME SI ELLE FUYAIT LA RÉALITÉ.

MAIS J'AI FOI EN ELLE ! JE SAIS QU'ELLE ARRIVERA À SURMONTER CES ÉVÉNEMENTS...
... CAR DORÉNAVANT, JE SERAI À SES CÔTÉS, DANS LES BONS COMME LES MAUVAIS MOMENTS !

43

MAIS QUI ÉTAIT DONC CE TYPE ? POURQUOI MON CŒUR BAT-IL LA CHAMADE DÈS QUE JE PENSE À LUI ?
CE N'EST QUAND MÊME PAS À CAUSE DU BAISER QU'IL M'A VOLÉ ?! DEPUIS QUAND SERAIS-JE DEVENUE FLEUR BLEUE ?

KLANG
HO, MAIS N'EST-CE PAS LA PRINCESSE SHUN-DAY EN PERSONNE QUI ME FAIT L'HONNEUR D'UNE VISITE NOCTURNE ??
C'EST TRÈS GENTIL DE VOTRE PART, VRAIMENT !!
HÉ ! HÉ ! HÉ !
AU PASSAGE, MERCI BEAUCOUP DE M'AVOIR LAISSÉE VOUS EMPRUNTER CE JOLI BÂTON. JE ME SUIS BEAUCOUP AMUSÉE AVEC !!

QU'EST-CE QUE VOUS AVEZ LÀ ?
C'EST... UN BOUQUIN ?

SÉRIEU-SEMENT ?
NAVRÉE, PRINCESSE. MAIS J'AI PASSÉ L'ÂGE QU'ON ME FASSE LA LECTURE LE SOIR POUR M'ENDORMIR.
POURTANT, JE SUIS SÛRE QUE TU TROUVERAIS LA LECTURE DE CE JOURNAL TRÈS TRÈS INTÉRESSANTE !!!

MAIS PROCÉDONS PAR ORDRE SI TU LE VEUX BIEN.
45

JE SUIS LÀ AVANT TOUT POUR RENDRE LE BÂTON-AIGLE À SA VÉRITABLE PRINCESSE...
... LA LÉGENDAIRE JADINA !!!
À SUIVRE...

PROCHAINEMENT

Shimy découvre pour quelle raison elle a été kidnappée par **Gryf** et **Solaris** !!
Un mystérieux phénomène, le « **NÉANT** », menace le Monde Elfique
et la jeune humaine doit aider les elfes à sauver **Astria**
grâce à ses pouvoirs élémentaires naissants.
Pour cela, Shimy sera guidée par **SHYSKA**, directrice de l'Arbores Élémenta,
dans l'apprentissage de ses nouvelles facultés.

Hélas, tous ne souhaitent pas la disparition du « Néant » ; des survivants Galinas
dirigés par le maléfique **PAPATOÈS** ne voient pas d'un bon œil l'arrivée
de cette humaine étrangère qui risque de ruiner leurs projets.

Mais qu'est véritablement le « Néant » ? Quel noir secret renferme-t-il ?

C'est ce que vous découvrirez dans
LA BATAILLE DU NÉANT,
21e aventure des Légendaires WORLD WITHOUT
chez votre libraire en 2018.

LES LÉGENDAIRES

TOUT UN UNIVERS À DÉCOUVRIR OU À REDÉCOUVRIR !

Les Légendaires
de Patrick Sobral
Pour vivre des aventures
hors du commun !